5525

Lieber Christopher,

ich finde es echt super toll, dass
du Germanistik studierst.
Dieses Buch ist ein guter Überblick
über die dt. Literaturgeschichte,
es ist für Kinder + Jugendliche geschrieben
und daher gut zu lesen –
hoffe ich.
Hoffentlich kannst du etwas
damit anfangen!

Ganz liebe Grüße
deine Cousine
Stephanie

Manfred Mai, geboren 1949, gehört zu den bekanntesten deutschen Kinder- und Jugendbuchautoren. Er hat Geschichte und Deutsch studiert und unterrichtet, bevor er vor mehr als zwanzig Jahren zu schreiben begann. Heute lebt er als freier Schriftsteller in seinem Heimatort Winterlingen auf der Schwäbischen Alb. Bei Beltz & Gelberg erschienen von ihm auch die *Deutsche Geschichte* und ein *Lesebuch zur deutschen Geschichte*.
Mehr Informationen zum Autor unter www.manfred-mai.de

Rotraut Susanne Berner, geb. 1948 in Stuttgart, studierte in München Grafik-Design und arbeitet dort als freie Grafikerin und Illustratorin. Sie wurde mit vielen, z.T. internationalen Preisen ausgezeichnet, bereits zweimal war sie für den Hans-Christian-Andersen-Preis nominiert. Bei Beltz & Gelberg erschienen ihre Bilderbücher *Märchenstunde* und *Das Abenteuer*; außerdem illustrierte sie zahlreiche Kinder- und Sachbücher.

Geschichte der deutschen Literatur

erzählt von Manfred Mai

Mit Bildern von
Rotraut Susanne Berner

EIN **GULLIVER** VON **BELTZ & GELBERG**

Die *Geschichte der deutschen Literatur* ist auch als Hörbuch bei der Hörcompany lieferbar, gelesen von Matthias Fuchs, Hans Kremer, Ilona Schulz u.a.

www.gulliver-welten.de
Gulliver 5525

Neue Rechtschreibung
Markenkonzept: Groothuis, Lohfert, Consorten, Hamburg
Einband: Max Bartholl unter Verwendung
der Illustrationen von R.S. Berner
Gesamtherstellung: Druck Partner Rübelmann, Hemsbach
Printed in Germany
ISBN 978-3-407-75525-4
2 3 4 5 6 11 10 09 08

Inhalt

Vorwort

2000 Jahre deutsche Geschichte – sind das auch 2000 Jahre deutsche Literaturgeschichte? Ganz so einfach ist die Sache nicht.
In der Zeit um Christi Geburt lebten dort, wo später Deutschland entstand, zwar Menschen, die »Germanen« genannt wurden, aber sie waren noch kein einheitliches Volk und sie sprachen noch keine gemeinsame Sprache. Es gab zahlreiche Stämme mit verschiedenen Dialekten, die sehr unterschiedlich klangen. Die Menschen an der Nordsee hätten die am Bodensee nicht verstanden. Erst in einem jahrhundertelangen Prozess bildete sich neben den Dialekten und der Amts- und Dichtersprache Latein das so genannte Althochdeutsch als Schriftsprache heraus. Und erst mit der weiteren Entwicklung zur mittel- und neuhochdeutschen Sprache entstand dann auch eine deutsche Literatur.
Hier stellt sich gleich die nächste Frage: Was soll überhaupt als Literatur gelten? Natürlich nicht alles Geschriebene im Sinne der Wortbedeutung (lat. litteratura = Buchstabenschrift). Von Literatur kann man reden, wenn Sprache nicht einfach als alltägliches Kommunikationsmittel verwendet, sondern künstlerisch gestaltet wird, um Erdachtes und Erfundenes festzuhalten. Je nachdem, wie gut ein Text gelungen ist, spricht man von hoher oder niederer bzw. trivialer Literatur. Letztere soll hier nicht behandelt werden. Dieses Buch erzählt hauptsächlich von deutschsprachigen Dichtern und Dichterinnen, deren Werke Jahrzehnte und Jahrhunderte überdauerten und wegen ihrer künstlerischen Qualität auch heute noch viele Leser begeistern.

Von den ersten überlieferten Zaubersprüchen aus dem 8. Jahrhundert bis zu literarischen Texten aus dem wiedervereinigten Deutschland führt ein langer Weg. Diesen Weg wollen wir mit großen Schritten entlanggehen. Je näher wir dabei unserer heutigen Zeit kommen, desto mehr muss aus der übergroßen Fülle ausgewählt werden, wenn der Leser nicht zu schwer beladen oder gar erdrückt werden soll. Dass damit vieles, was auch beachtenswert und interessant wäre, unbeachtet bleibt, ist leider nicht zu vermeiden.

Um einen geschichtlichen Überblick zu geben, wurden vor allem solche Werke ausgewählt, die für ihre Entstehungszeit typisch sind. Dabei spielten auch persönliche Vorlieben des Verfassers eine Rolle. Und nicht zuletzt sollten die ausgewählten Werke für junge Leserinnen und Leser von Bedeutung sein und sie erreichen können.

Warum genügt es denn nicht, Werke der deutschen Literatur zu lesen, warum soll man auch noch ihre Geschichte kennen? Weil keine Literatur ohne die vorausgegangene Literatur so geworden wäre, wie sie geworden ist. Und weil Dichterinnen und Dichter nicht im isolierten Raum leben und arbeiten; sie wurden zu allen Zeiten von kulturellen, sozialen und politischen Entwicklungen beeinflusst. Wer literarische Werke besser verstehen will, sollte diese Einflüsse kennen.

In der Literatur ist aufbewahrt, was unsere Vorfahren erlebt, gedacht und gefühlt haben. Wen das interessiert, dem kann dieses Buch ein erster Wegbegleiter sein; ein Wegbegleiter zu bedeutenden Werken der deutschen Literatur. Und natürlich ist es der geheime Wunsch des Verfassers, dass die hier vorgestellten Werke auch in Zukunft viele Leserinnen und Leser finden.

Zwei Bemerkungen noch zur Zitierweise in diesem Buch:

Der Verfasser folgt selbst der neuen Rechtschreibung; die Zitate aber hat er so belassen, wie sie sich bei ihren Autoren finden. Die Leserinnen und Leser werden außerdem sehen, dass die Zitate nicht im Einzelnen nachgewiesen sind. Wer nach- oder weiterlesen will, findet die zitierten Werke in vielerlei Ausgaben in Bibliotheken, Buchhandlungen und sicher auch im einen oder anderen elterlichen Bücherschrank.

Manfred Mai
Winterlingen, im Oktober 2003

Die Anfänge

Vor 2000 Jahren waren große Teile »Germaniens« noch von Sümpfen und dichten Wäldern bedeckt. In den dünn besiedelten Gebieten lebten die Menschen in Einzelhöfen oder kleinen Dörfern oft mit ihren Tieren unter einem Dach. Etwa 50 Jahre vor Christi Geburt wurden alle Stämme westlich des Rheins und ganz Gallien (das spätere Frankreich) von den Römern unterworfen und dem Römischen Reich einverleibt.
Für den römischen Geschichtsschreiber Tacitus waren die Germanen jener Zeit »Barbaren«. Von dem später so genannten »Land der Dichter und Denker« konnte noch keine Rede sein. Als Griechen und Römer schon literarische Werke schrieben und in Theatern aufführten, kannten die Germanen noch keine Schrift. Erst im 3. Jahrhundert entwickelte sich eine Runenschrift. Aber von dem, was mit Runenzeichen in Holz, Stein oder Horn geritzt wurde, ist wenig erhalten. Ohnehin wurden die Runen nicht zum Aufzeichnen von literarischen Werken, sondern als magische Zeichen zur Beschwörung von Göttern und Geistern verwendet. Zaubersprüche, Merkverse, Sprichwörter, Rätsel und Lieder sind Urformen der gestalteten Sprache, sie wurden mündlich vorgetragen und von Mund zu Mund weitergegeben.
Zwei dieser Zaubersprüche aus dem 8. Jahrhundert schrieb ein Mönch in Fulda auf. Gefunden hat man sie jedoch erst im Jahr 1841 in der Dombibliothek zu Merseburg, weshalb sie *Merseburger Zaubersprüche* genannt werden.

Der erste Spruch sollte helfen, Gefangene zu befreien. Der zweite sollte die Beinverletzung eines Pferdes heilen. Die magische Zauberformel am Schluss jenes Spruches lautet:

bên zi bêna, bluot zi bluoda,
lid zi geliden, sôse gelîmida sîn.

Bein zu Bein, Blut zu Blut,
Gelenk zu Gelenk, als ob sie geleimt wären.

Eine Besonderheit jener Zaubersprüche zeigt sich schon an diesem kleinen Beispiel: Die wichtigsten Wörter einer Zeile beginnen mit dem gleichen Laut. Das nennt man »Stabreim« oder »Alliteration«. Diese Reimform wurde zum wichtigsten Merkmal der altgermanischen Verskunst. In Redewendungen wie »Himmel und Hölle«, »Mann und Maus«, »Geld und Gut« lebt sie bis heute fort.
Außer den Merseburger Zaubersprüchen sind nur wenige Texte aus jener Zeit überliefert. Zu ihnen gehört das *Hildebrandslied.* Wieder waren es Mönche in Fulda, die dieses »Heldenlied« zu Beginn des 9. Jahrhunderts aufschrieben, wofür sie die inneren Deckblätter eines Gebetbuches zweckentfremdeten. Allerdings reichte der Platz nicht ganz, weshalb der Text unvollständig ist.

Schreibende Mönche

Das *Hildebrandslied* stammt aus der Übergangszeit zwischen Heidentum und Christentum. Es ist zwar schon vom Christengott die Rede, aber heidnisches Denken steht noch im Vordergrund. Erzählt wird eine Geschichte aus dem Sagenbereich der Völkerwanderungszeit. Der Waffenmeister Hildebrand folgte seinem Herrn Dietrich von Bern, der sein Reich an Odoaker verloren hatte, in die Verbannung. Hildebrands kleiner Sohn Hadubrand blieb zurück und stieg unter Odoaker zum Heerführer auf. Nach 30 Jahren will Hildebrand das Land mit einem großen Heer zurückerobern und erkennt im gegnerischen Heerführer seinen Sohn. Hildebrand gibt sich zu erkennen, aber Hadubrand glaubt ihm nicht. Er hält seinen Vater für tot und vermutet hinter den Reden des »alten Hunnen«, wie er ihn nennt, eine List oder Feigheit, verhöhnt und beleidigt ihn. Damit stürzt Hadubrand seinen Vater in einen dramatischen Konflikt:

Welaga nû, waltant got, wêwurt skihit,
ih wallôta sumaro enti wintro sehstic ur lante,
dâr man mih eo scerita in folc sceotantero,
sô man mir at burc ênîgeru banun ni gifasta,
nû scal mih suâsat chind suertû hauwan,
bretôn mit sînû billjû eddo ih imo ti banin werdan.

Weh nun, waltender Gott, Wehgeschick erfüllt sich!
Ich wanderte der Sommer und Winter sechzig außer Lande,
Da stets man mich reihte zur Schar der Kämpfer,
An keiner der Städte kam ich je zu sterben;
Nun soll mit dem Schwert mich erschlagen mein Kind,
Mit der Waffe mich treffen, oder ich zum Mörder ihm werden.

Die geltenden Wertvorstellungen lassen dem Vater letztlich keine Wahl. Für den germanischen Krieger steht die Ehre als höchstes Gut über der Vaterliebe. Nur wer sich in solchen Konfliktsituationen bewährt, ist ein wahrer Held. Also

muss Hildebrand kämpfen und seinen Sohn entweder erschlagen oder sich von ihm erschlagen lassen.
Der Verfasser des *Hildebrandsliedes* treibt die Handlung rasch vorwärts und verzichtet dabei auf Schnörkel und verzierendes Beiwerk. Nach einer knappen Schilderung der Vorgeschichte kommt das »Wehgeschick« unaufhaltsam auf Hildebrand zu. Wie der Kampf endet, ist im Text nicht überliefert.
Auch wenn dieses germanische Heldenlied nur kurz ist, ähnelt es den großen griechischen Tragödien. Hier wie dort scheitern Menschen trotz allen Bemühens bei dem Versuch, ihr Schicksal zu meistern.
Sprache und Versbau weisen den Verfasser als wirklichen Dichter aus, der mit dem *Hildebrandslied* das erste poetische Kunstwerk der deutschen Literatur geschaffen hat.

Eine Bibel für das Volk

Im Jahre 771 wurde Karl der Große (742 – 814) Alleinherrscher über das Frankenreich, aus dem später Frankreich und Deutschland hervorgingen. Die Römer waren zurückgedrängt worden, die Christianisierung war weitgehend abgeschlossen und Karl vereinte zum ersten Mal in der Geschichte alle germanischen Stämme in einem Reich. Anders als viele Herrscher vor und nach ihm kümmerte er sich um Bildung, Literatur, Kunst und Wissenschaften. Er holte bedeutende Gelehrte an seinen Hof und sorgte dafür, dass ein gebildeter Priesterstand heranwuchs. Die Sprache der Geistlichen und Gelehrten war Latein.
Doch auch die Pflege der deutschen Sprache lag Karl dem Großen am Herzen. Er ließ zum Beispiel die frühen germanischen Verse, Sagen und Heldenlieder sammeln – obwohl die überwiegend heidnisch waren. Sein Sohn und Nachfolger Ludwig der Fromme war nicht so tolerant und ließ die Sammlung aus religiösen Bedenken verbrennen. Stattdessen soll er einem geistlichen Dichter den Auftrag gegeben haben, die Bibel aus dem Lateinischen in eine Sprache zu übersetzen, die im ganzen Reich verstanden werden konnte.
Bei den vielen Dialekten, die im Frankenreich gesprochen wurden, war das beinahe unmöglich. Trotzdem machte sich ein niedersächsischer Dichter um 830 an die Arbeit. Dabei hielt er sich an die vertraute literarische Form und schrieb nahezu 6000 Verse vorwiegend im Stabreim, den er allerdings schon sehr frei handhabte. Er übersetzte den Bibeltext nicht nur, er übertrug Leben und Leiden Jesu teilweise nach Niedersachsen und damit in die Vorstellungswelt seiner Landsleute. Jesus wurde zum König, die Jünger zu seinen

Gefolgsleuten. Treue, Ehre, Kampf und Heldentum wurden stark betont. Auf diese Weise wollte der geistliche Dichter in seinem *Heliand* (Heiland) den Menschen im Frankenreich die christliche Botschaft näher bringen.
Einen ähnlichen Versuch unternahm etwa 30 Jahre später der elsässische Mönch Otfried von Weißenburg, der erste namentlich bekannte deutsche Dichter. Er wollte beweisen, dass von Jesus nicht nur in den »edilzungen« Latein und Griechisch, sondern auch in der Volkssprache erzählt werden konnte. Deshalb schrieb er seine *Evangelienharmonie* in rheinfränkischem Dialekt.
Dieses Werk war für die deutsche Literatur von großer Bedeutung, weil Otfried erstmals vom Stabreim abwich und den Endreim entwickelte. Nach dem Vorbild der lateinischen Hymnendichtung mit regelmäßigem Wechsel von Senkung und Hebung gestaltete er einen sehr anspruchsvollen Reim.

Wolaga élilenti! hárto bistu hérti,
thu bist hárto filu suár, thaz ságen ih thir in álawar!
Mit árabeitin wérbent, thie héiminges thárbent;
ih haben iz fúntan in mír; ni fand ih líbes wiht in thír;
Ni fand in thír ih ander gúat, suntar rózagaz muat,
séragaz herza joh mánagfalta smérza!
Ob uns in múat gigange, thaz unsih héim lange,
zi thémo lante in gáhe ouh jámar gifáhe:
Farames, so thíe ginoza, ouh ándara straza,
then wég, ther unsih wénte zíéiginemo lánte.

Ach, Fremdland! sehr bist du hart;
du bist gar sehr schwer, das sage ich dir fürwahr,
In Mühsalen leben, die der Heimat entbehren,
ich habe es an mir erfahren; ich fand nichts Liebes an dir.

Ich fand in dir kein anderes Gut außer traurigen Sinn,
schmerzerfülltes Herz und mannigfaltigen Schmerz.
Wenn uns in den Sinn kommt, daß uns heim verlangt,
nach dem Lande plötzlich auch Sehnsucht uns ergreift,
Fahren wir, wie die Genossen, auch eine andere Straße,
den Weg, der uns wende zu dem eigenen Lande.

Während der *Heliand* dichtungsgeschichtlich eine Episode blieb, wurde Otfrieds neuer Endreim richtungsweisend für viele Dichter bis in die Neuzeit.

Die erste Dichterin

Die Nachfolger Karls des Großen förderten die Literatur weit weniger als er und bald verschwand die volkssprachliche Dichtung wieder aus dem offiziellen Leben. Sie lebte nur noch mündlich weiter in den Liedern umherziehender Spielleute. Als angemessene Sprache für die Dichtkunst galt nur Latein.
In dieser Sprache schrieb auch Hrotsvith (Roswitha), die erste deutsche Dichterin. Sie lebte etwa von 935 bis 1000 und war Nonne im Kloster Gandersheim.

Roswitha von Gandersheim

Hrotsvith war sehr belesen und kannte auch die Werke des römischen Komödiendichters Terenz, die in vielen Klosterschulen als Lektüre verwendet wurden. Sie hielt die Stücke dieses »heidnischen Dichters« aus religiösen Gründen und wegen ihrer erotischen Anspielungen für anstößig und wollte sie durch »saubere« ersetzen. Also schrieb sie Texte, in denen die Helden und vor allem die Heldinnen mit der Kraft ihres christlichen Glaubens allen Versuchungen, Anfechtungen und Gefahren widerstehen. Sünde, Reue, Buße und Erlösung stehen im Mittelpunkt ihrer acht Legenden und sechs Dialogstücke.
Lehrreich sollte auch der erste umfangreichere literarische Text sein, der auf deutschem Boden entstand. In seinem *Ruodlieb* erzählt ein unbekannter Dichter um 1050 von den Abenteuern und Bewährungsproben eines jungen Ritters. Dabei schildert er das Leben auf Burgen und Fürstenhöfen

ebenso anschaulich wie das Leben der Bauern und der einfachen Leute in den Dörfern. Leider ist die Handschrift dieses lateinischen Versromans nur teilweise erhalten.
Der Held Ruodlieb wird als junger Ritter von seinem Herrn schlecht behandelt und verlässt die Heimat. Bei einem König im Morgenland gelangt er zu hohem Ansehen. Eines Tages bittet ihn seine Mutter in einem Brief, wieder nach Hause zu kommen. Zum Abschied kann er zwischen Gold und zwölf »goldenen Ratschlägen« als Lohn wählen. Er entscheidet sich für die Ratschläge, die unter anderem lauten: keinem Rothaarigen zu trauen; in keinem Haus zu übernachten, wo ein alter Gastgeber eine junge Frau hat; nicht die eigene Magd zu heiraten; in jedem Gotteshaus am Weg zu beten; keine trächtige Stute auszuleihen; keine Saatfelder zu betreten. Und natürlich kommt Ruodlieb auf dem Heimweg in Situationen, wo ihn die goldenen Ratschläge vor falschen Handlungen und vor Schaden bewahren.
Der unbekannte Dichter kann spannend und humorvoll erzählen und nimmt mit dem *Ruodlieb* manches Erzählmuster der kommenden höfischen Ritterdichtung vorweg: den Weg eines jungen Ritters fort von zu Hause hinaus in die Welt; den gesellschaftlichen Aufstieg in der Fremde; den Ritter als Verkörperung sittlicher Tugenden; die weisen Lehren, die in Prüfungen auf die Probe gestellt werden; den märchenhaften Schluss.

Von edlen Rittern

Noch heute sind Geschichten von tapferen Rittern ein beliebter Stoff für Filme und Bücher. Auch viele Burgen und noch mehr Burgruinen in ganz Europa erinnern an die längst vergangene Ritterzeit. Ritter waren ursprünglich nichts anderes als schwer gerüstete Reiter, die mit ihren Herren in die Schlacht zogen. Im Lauf der Zeit bildeten diese Ritter einen eigenen Stand mit einer eigenen Lebensweise und strengen Regeln. Viele Ritter nahmen auch an den Kreuzzügen im 12. Jahrhundert teil, mit denen die christlichen Stätten im »Heiligen Land« von den Arabern zurückerobert werden sollten. Nicht zuletzt durch die Kreuzzüge entwickelte die Ritterschaft in ganz Europa ein ausgeprägtes Selbstbewusstsein. Das schlug sich auch in der Literatur nieder: Die Vorherrschaft religiöser Themen und Stoffe wurde durch eine höfisch-weltliche Dichtung abgelöst. Die neuen Dichter schrieben nicht mehr in der Gelehrtensprache Latein, sondern in ihrer Sprache, dem Mittelhochdeutschen. Das ermöglichte erstmals eine größere Verbreitung literarischer Werke, denn das Mittelhochdeutsch war, trotz aller Dialektunterschiede, eine relativ einheitliche Literatursprache.

»Höfisch« nennt man diese Dichtung, weil das – reale und idealisierte – Leben bei Hofe den Stoff für die dichtenden Ritter bot; außerdem waren deren Auftraggeber oder Gönner – heute würde man Sponsoren sagen – häufig Fürsten. Und Gönner brauchten die höfischen Dichter, um einigermaßen leben zu können. Die höfisch-ritterliche Kultur entfaltete sich um die Mitte des 12. Jahrhunderts zuerst in Frankreich. Dort schrieb Chrétien de Troyes seine Romane

über die sagenumwobene Gestalt des König Artus und seine Tafelrunde. Von diesen Romanen wurde auch die deutsche Ritterdichtung stark beeinflusst.
Als neue Tugenden der höfischen Gesellschaft galten: êre, triuwe und staete, zuht und mâze, milte, froide, hoher muot und minne. Obwohl die Schreibweise der Begriffe bald tausend Jahre alt ist, können wir die meisten auch heute lesen und ungefähr verstehen. Wer Ehre (êre), das heißt Ansehen, Geltung, Achtung erringen wollte, musste Gott und seinem Herrn treu (triuwe) und zuverlässig (staete) dienen. Er musste züchtig (zuht) und anständig leben, seine Leidenschaften mäßigen (mâze), mit materiellem Besitz freigiebig sein und Hilfsbedürftige unterstützen (milte – daher kommt unser heutiges Wort Mildtätigkeit). Er sollte Lebensfreude (froide) zeigen und frohen Mutes (hoher muot) sein, um zu einer guten Stimmung am Hofe beizutragen.
Schwieriger verhält es sich mit dem Begriff »Minne«, der für das Verständnis der höfischen Dichtung von großer Bedeutung ist. Unter »minne« verstand man die Verehrung der Frauen, um deren Gunst und Zuneigung geworben wurde. Dabei unterschied man zwischen »hoher« und »niederer minne«. Bei der »hohen minne« warb der Minnesänger um eine zumeist verheiratete, höher gestellte Frau. Für sie kämpfte er bei Turnieren, ihr zu Ehren verhielt er sich in jeder Hinsicht tadellos. Das tat er allerdings nicht, um sie zum Ehebruch zu verleiten. Die Frau durfte und sollte dem Werben gar nicht nachgeben. Vielmehr sollte durch den Minnedienst ihr Ansehen erhöht und sie gleichsam zu einer Heiligen stilisiert werden. Wenn diese »Herrin« dem werbenden Ritter durch einen freundlichen Blick oder ein Lächeln ihre Gunst schenkte, sagte sie ihm damit, dass er ein wahrer Ritter und ihrer würdig sei.

Walther von der Vogelweide (1170 – 1230), der bekannteste deutsche Minnesänger, brachte die »hohe minne« mit folgendem Vers auf den Punkt:

Sver goutes wîbes minne hât,
der schamt sich aller missetât.

Walther von der Vogelweide

Mit den wirklichen Gefühlen der Menschen hatte die »hohe minne« nichts zu tun. Später wandte sich Walther gegen den Minnedienst, weil er auch von gegenseitigen Gefühlen, von wirklicher Zuneigung und Liebe singen wollte. Dieser »niederen minne« haben wir wunderschöne Liebesgedichte zu verdanken. Eines davon stammt von einem Minnesänger, dessen Namen wir nicht kennen. Aber sein Gedicht rührt uns bis heute – und wir müssen es nicht einmal in modernes Deutsch übersetzen:

Dû bist mîn, ich bin dîn:
des solt dû gewis sîn.
dû bist beslozzen
in mînem herzen:
verlorn ist daz slüzzelîn:
dû muost immer drinne sîn.

Der erste Literatur-Star

Wenn man von der höfischen Zeit spricht, ist damit etwa der Zeitraum zwischen 1180 und 1230 gemeint. Damals regierten die Stauferkaiser das Reich, deren Stammburg auf dem Hohenstaufen im Schwabenland stand. Der bedeutendste von ihnen war Friedrich I., den die Italiener wegen seiner rötlichen Haare »Barbarossa« nannten. Weil in dieser Zeit die deutsche Dichtung ihre erste große Blüte erlebte, spricht man auch von der »Staufischen Klassik«. Als ihr erster großer Dichter gilt Hartmann von Aue (um 1165 bis etwa 1215). Seine Sprache sowie die Leichtigkeit und Natürlichkeit seines Reims machten ihn zum Vorbild einer ganzen »Hartmann-Schule«. Viele junge Dichter wollten so schreiben können wie er.
Wer war nun dieser erste »Star« der deutschen Literatur? In seinem Versroman *Der arme Heinrich* stellt er sich gleich zu Beginn selbst vor:

Ein ritter sô gelêret was,
daz er an den buochen las,
swaz er daran geschrieben vant:
der was Hartmann genannt,
dienstmann was er ze Ouwe.

Hartmann stammte aus einer alemannischen Familie, die im Lauf der Zeit durch gute, treue Dienste für die Herren von Aue in den Ritterstand aufgestiegen ist. Als Junge kam er vermutlich in die Klosterschule Reichenau am Bodensee und erwarb dort seine große Bildung. Nach allem, was wir heute wissen, nahm er wahrscheinlich an dem Kreuzzug teil, den Kaiser Barbarossa 1189 nach Jerusalem führte.

In Hartmanns Texten steht, wie in denen seiner Kollegen, ein Ritter im Mittelpunkt, der sich in einer schwierigen Lage bewähren muss. Dabei geht es allerdings nicht darum, eine neue Geschichte zu erfinden. Aufgabe des mittelalterlichen Dichters war vielmehr, einen bereits vorhandenen Stoff (zum Beispiel aus der Artussage) in möglichst perfekter Form darzustellen. Auch dazu äußert sich Hartmann im *Armen Heinrich*:

er nam im manige schouwe	Er sah sich eifrig
an mislîchen buochen;	in verschiedenen Büchern um
dar an begunde er suochen,	und begann darin zu suchen,
ob er iht des funde,	ob er etwas Derartiges fände,
dâ mite er swære stunde	womit er bedrückte Stunden
möhte senfter machen,	leichter machen könnte
und von sô gewanten sachen,	und das von solchen Dingen handelte,
daz gotes êren töhte	daß es zu Gottes Ehre taugte,
und dâ mite er sich möhte	und womit er sich zugleich
gelieben den liuten.	den Menschen angenehm machen könnte.
nu beginnet er iu diuten	Jetzt beginnt er euch eine Geschichte vorzutragen,
ein rede die er geschriben vant.	die er geschrieben gefunden hat.

Erst als er in den Büchern einen geeigneten Stoff gefunden hatte, begann er die Geschichte des Ritters Heinrich zu schreiben. Er löste sich damit vom Artusstoff und leitete zur zentralen Frage des Mittelalters über, ob man »got unde der werlt gevallen« könne.

Anfangs scheint Heinrich dem Idealbild eines Ritters zu entsprechen. Aber er hängt sein Herz zu sehr an weltliche

Dinge und bedenkt nicht, dass er alles »gotes hulde« zu verdanken hat. Mitten in seinem glanzvollen, aber oberflächlichen Leben wird Heinrich vom Aussatz befallen. Nur das Herzblut eines reinen, unschuldigen Mädchens könnte ihn heilen. Die zwölfjährige Tochter eines seiner Bauern pflegt ihn liebevoll und ist bereit, ihr Leben für ihren Herrn zu opfern. Heinrich nimmt das Opfer an. Doch in dem Augenblick, als der Arzt das Messer an die Brust des schönen Mädchens setzt, wird Heinrich bewusst, dass er dieses Opfers gar nicht würdig ist. Er erkennt in seiner Krankheit den Willen Gottes und nimmt sein Schicksal an:

swaz dir got hât beschert,
daz lâ dir allez geschehen.
ich enwill des kindes tôt niht sehen.

Durch den Verzicht auf das Opfer gewinnt Heinrich die Gnade Gottes – und das Leben. Er wird, wie durch ein Wunder, vom Aussatz geheilt. In seinem »neuen Leben« setzt er sich sogar über das Standesdenken hinweg, heiratet sein Bauernmädchen und beide werden glücklich.
Happy End einer kitschigen Liebesgeschichte aus dem Mittelalter? Auf den ersten Blick mag es so scheinen. Aber in der streng geregelten Ständeordnung war dieser Schluss eher revolutionär als kitschig. Bisher hatte es noch kein Dichter gewagt, sich in einem Werk so über die Standesschranken hinwegzusetzen. Warum Hartmann von Aue es getan hat, kann bis heute niemand mit Gewissheit sagen.
Neben der höfisch-ritterlichen Dichtung entstand in der Stauferzeit auch die so genannte »Heldendichtung«; sie knüpfte an die vorchristliche Tradition des germanischen Heldenliedes an und vermischte Sagen mit wirklichen

Ereignissen aus der Völkerwanderungszeit. Das *Nibelungenlied* (um 1200) als berühmtestes Beispiel ragt bis in unsere Zeit herein. Es diente Richard Wagner als Vorlage für seinen Opernzyklus *Der Ring des Nibelungen*, wurde mehrfach verfilmt und auch für Jugendbücher bearbeitet. Die Geschichte des blonden Recken Siegfried, der eigentlich unverwundbar ist, aber von dem Fiesling Hagen dann doch getötet wird, hat zu allen Zeiten viele Fans gefunden.

Volkstümliche Weisen

Die Glanzzeit der höfisch-ritterlichen Dichtung dauerte nur etwa 50 Jahre. Aber schon während dieser Zeit beklagten manche Dichter die große Diskrepanz zwischen den ritterlichen Tugenden und dem wirklichen Leben bei Hofe. Dort konnte von »zuht und mâze« oft keine Rede sein, es wurde »gefressen, gesoffen, geliebt«, Prunksucht und Verschwendung waren an der Tagesordnung. Und draußen zogen Raubritter durchs Land, überfielen Kaufleute, Dörfer und sogar Städte. Kein Leben und kein Eigentum war vor ihnen sicher.

Walther von der Vogelweide schrieb dazu in seiner späten Spruchdichtung: »Wehe dir, Welt, wie schlimm sieht es aus mit dir! Was für Dinge tust du immerfort, die nur mit Ekel vor dir zu ertragen sind! Du bist schier ganz ohne Schamgefühl.« Er wandte sich ab von dieser Welt, die nicht mehr seine war.

Mit dem Aussterben der Staufer im 13. Jahrhundert ging die große Zeit des Ritterstandes zu Ende. Gleichzeitig begann der wirtschaftliche Aufstieg der Städte durch den zunehmenden Handel und damit wuchs auch das Selbstbewusstsein des städtischen Bürgertums. Zunächst ahmten die wohlhabenden Bürger – die »Patrizier« – zwar noch die ritterliche Kultur nach, aber mehr und mehr löste man sich vom höfischen Vorbild und suchte nach eigenen künstlerischen Ausdrucksformen. Dieser Prozess dauerte allerdings Jahrhunderte und brachte viele Mischformen hervor. So wurden zum Beispiel die höfischen Epen auch in den Städten weiter erzählt, denn von den Abenteuern tapferer Ritter hörten und lasen auch die Stadtbürger gern. Weil die aber mehr am Inhalt als am kunstvoll gestalteten Reim interessiert waren, entstanden mit der Zeit vereinfachte Prosaerzählungen – und damit eine Vorform des Unterhaltungsromans. König Artus und die Ritter der Tafelrunde wurden zu den ersten Romanhelden.

Weil diese Bücher in Inhalt und Sprache schlicht und einfach, kurz: volkstümlich waren, nannte man sie Volksbücher. Daneben blühte in jener Zeit auch das Volkslied auf. Es entwickelte sich aus den Liedern der »niederen minne« und drückte Erlebnisse und Gefühle der einfachen Menschen in einfacher Sprache aus. Gesungen wurde vom Leben und vom Tod, von der Natur und vom Jahreslauf mit seinen Festen – und natürlich von der Liebe! Wer die Texte moderner Schlager mit diesen Volksliedern vergleicht, kann viele Ähnlichkeiten feststellen, vor allem bei den sehr schlichten Bildern der Liebeslieder. Schon damals leuchtete und wärmte die Geliebte wie die Sonne, ihre Augen strahlten wie zwei Sterne, ihr Mund war kirschrot, ihr Haar golden oder schwarzbraun wie die Haselnuss, ihr Körper glich dem eines Engels und so weiter und so weiter.

Oswald
von Wolkenstein

Handwerksburschen, Landsknechte, Studenten und allerlei fahrendes Volk waren »auf der Walz«, feierten mit den Bauersleuten unter der Dorflinde und trafen sich in den Wirtshäusern der Städte. Dabei wurde viel getrunken und gesungen und es herrschte ein kräftig-deftiger Umgangston. Diesen Ton übernahm ein Dichter des späten Mittelalters, Oswald von Wolkenstein (1377 – 1445), oft ziemlich ungefiltert in seine Lieder.

Her wirt, uns dürstet also sere,
trag auff wein! trag auff wein! trag auff wein!
das dir got dein laid verkere,
pring her wein! pring her wein! pring her wein!
und dir dein sälden mere,
nu schenk ein! nu schenk ein! nu schenk ein!

Sim Jänsel, wollstu's mit mir tanzen?
so kum auch! so kum auch! so kum auch!
Pöckisch well wir umbhin ranzen,
Jans, nicht strauch! Jans, nicht strauch! Jans, nicht strauch!
und schon mir meiner schranzen,
dauch schon, dauch! dauch nach, dauch! dauch, Jans, dauch!
Pfeiff auff, Hainzel, Lippel, Snäggel!
frisch, fro, frei, frisch, fro, frei, frisch, fro, frei.
zwait euch, rüert euch, snurra Bäggel!
Jans, Luzei, Kuenz, Kathrei, Penz, Clarei.
spring kelbrisch, Durta Jäggel!
ju hai hai! ju hai hai! ju hai hai!

Diese Form der Dichtung war den bildungsbeflissenen Handwerkern in den Städten zu deftig und zu derb. Sie verehrten die großen Minnesänger und wollten es ihren Vorbildern nachtun. Dabei kam es ihnen vor allem darauf an, die formalen Regeln, die sie entdeckt hatten oder entdeckt zu haben glaubten, genau zu befolgen. In der so genannten »Tabulatur« wurden die Vorschriften über Strophen, Versmaß, Silbenzahl, Reime und Ton niedergelegt. Die galt es in der »Singschule« zu erlernen. Beim Wettsingen um die Meisterkrone zeichneten »Merker« alle Verstöße gegen die Regeln sorgfältig auf. »Meistersinger« wurde, wer die Regeln beherrschte und wie die großen Minnesänger zu dichten und zu singen verstand. Auch wenn auf diese Weise keine große Literatur entstand, war die Meistersingerei wichtig, denn sie förderte in weiten Kreisen des Bürgertums den Sinn für Dichtung und Kultur und machte deutlich, dass Arbeit und Brot nicht alles im Leben ist.

Die Narren kommen

Für die Menschen im Mittelalter war der Glaube und damit auch die Kirche von zentraler Bedeutung. Das spiegelte sich auch in der Literatur wider. Neben biblischen Geschichten und geistlichen Liedern entstanden Oster-, Passions- und Weihnachtsspiele. Das Leben Jesu wurde ebenso szenisch dargestellt wie das seiner Mutter Maria. Anfangs wurden diese Stücke noch in lateinischer Sprache geschrieben, aber im späten Mittelalter setzte sich langsam die deutsche Sprache durch.
Dem »geistlichen Drama« stellten die weltlichen Dichter das Fastnachtsspiel und den Schwank gegenüber. In diesen Stücken ging es lustig, derb und deftig zu. Dabei wurden allgemeine menschliche Schwächen und Laster ebenso kritisiert und lächerlich gemacht wie einzelne Personen und Ereignisse. Hauptziel des Spotts war jedoch der »tumbe Bauer«.
Ungekrönter König des Fastnachtsspiels wurde der Nürnberger Meistersinger Hans Sachs (1494 – 1576), der sich selbst so vorstellte:

Bin Hans Sachs, Schuhmacher und Poet dazu.

Hans Sachs

Seine Stücke werden von Laienspielgruppen bis heute gespielt. Eines der bekanntesten ist *Das Kälberbrüten*. Darin bekommt ein Bauer von seiner Frau den Auftrag, ein neugeborenes Kalb zu hüten. Unglücklicherweise fällt es in den Brunnen, und der Bauer schafft es nicht, das Kalb wieder herauszuziehen. Aus Angst vor seiner Frau setzt sich der Bauer auf einen Korb mit Käse, um so ein neues Kalb auszubrüten.

Weil die mittelalterlichen Dichter die Menschen nicht nur unterhalten, sondern vor allem belehren wollten, benutzten sie auch gern die Fabel, um am Beispiel von Tieren menschliche Schwächen aufzuzeigen. Die Fabelsammlung *Der Edelstein* des Mönchs Ulrich Boner wurde 1461 als erstes deutsches Buch nicht mehr von Hand geschrieben, sondern gedruckt. Das war möglich geworden, weil es dem Mainzer Johannes Gutenberg ein paar Jahre zuvor gelungen war, Texte mit beweglichen Buchstaben aus Metall zu drucken. Die so gedruckten Bücher und Schriften waren natürlich viel billiger als die von Hand geschriebenen. Die neue Kunst des Buchdrucks führte dazu, dass Bücher nun rascher und in viel größerer Zahl verbreitet wurden als jemals zuvor.

Zum ersten »Bestseller« der deutschen Literatur wurde das 1494 erschienene *Narrenschiff* des Straßburger Rechtsgelehrten Sebastian Brant. Von diesem Buch erschienen bis 1520 sechs Auflagen und mehrere Raubdrucke. Es wurde vielfach bearbeitet und bald ins Lateinische, Französische, Englische und Niederländische übersetzt.

Brant lässt 112 Narren, von denen jeder für ein menschliches Laster steht, auf dem Narrenschiff nach Narragonien segeln. Alle Stände sind vertreten, weil Eitelkeit, Habsucht, Hoffart, Bildungsdünkel, Neid, Undank, Ehebruch und andere Laster keine Standesgrenzen kennen.

Den narren spiegel ich diß nenn
In dem ein yeder narr sich kenn
Wer yeder sy wurt er bericht

Wer recht in narren spiegel sicht
Wer sich recht spiegelt / der lert wol
Das er nit wis sich achten sol.

Nur wenn die Menschen aller Stände ihre Narreteien erkennen und sich ändern, können sie das Narrenschiff noch in die richtige Richtung lenken.

Denn wer sich für ein narren acht
Der ist bald zu eym wisen gmacht.

Mit seinem *Narrenschiff* wurde Sebastian Brant zum Begründer der Satire in Deutschland und zum »Vater der Narrenliteratur«. Die berühmteste Figur dieser Literaturform wurde Till Eulenspiegel. Ob er wirklich gelebt hat oder nur die Erfindung eines Schwankdichters war, lässt sich nicht mit Gewissheit sagen. Jedenfalls gelang es dem armen Bauernburschen mit seinen Streichen und seinem Witz, Menschen aller Stände, besonders aber die Reichen und Mächtigen, an der Nase herumzuführen und ihnen einen Spiegel vorzuhalten, in dem sie ihre Schwächen und Laster erkennen konnten.
Die erste niedergeschriebene Fassung stammt von dem Braunschweiger Zolleinnehmer Hermann Bote und wurde um 1510 in Straßburg gedruckt. Später gab es viele Bearbeitungen des Stoffes, darunter allein 250 für Jugendbücher. Und noch heute stehen einige Streiche Till Eulenspiegels in Lesebüchern.

Ein Meisterstück deutscher Prosa

Wie Sebastian Brant beklagten auch viele Gelehrte den Verfall von Sitte und Moral im ausgehenden Mittelalter. Sie sprachen von finsteren Zeiten und wandten den Blick zurück in eine Zeit, die ihnen heller vorkam. Von Italien ausgehend erwachte ein neues Interesse am Altertum. Schriften, Bildnisse und Bauwerke der römischen und griechischen Vergangenheit wurden wieder entdeckt. Daran wollte man anknüpfen, um die Finsternis der eigenen Zeit zu überwinden. Durch die Wiedergeburt, die »Renaissance«, der Antike sollte eine neue Zeit beginnen.
Die mittelalterlich-christliche Auffassung, dass das Leben nur den einen Sinn habe, sich auf das Jenseits vorzubereiten, galt nicht mehr. Man wandte sich dem Diesseits zu und stellte den Menschen in den Mittelpunkt des wissenschaftlichen und künstlerischen Interesses. Ausgehend vom antiken Menschenbild wurde der Mensch wieder als ein Wesen gesehen, das nicht nur Teil eines Ganzen ist, sondern seinen Zweck in sich selbst hat. Die Gebildeten suchten Antworten auf die Fragen und Probleme der Welt nicht nur in der Bibel und bei den Kirchenvätern, sondern auch bei den Philosophen und Dichtern der Antike. Diese geistige Bewegung, die sich von Florenz über ganz Europa ausbreitete, nennt man »Humanismus«. Der bedeutendste Humanist jener Zeit war Erasmus von Rotterdam. Er sah in der Verbindung von antiker Vernunft und christlicher Frömmigkeit die größte Chance für eine menschlichere Welt. Außerdem forderte er Bibelübersetzungen in alle Sprachen.
An diese Aufgabe machte sich in Deutschland der Wittenberger Mönch und Theologieprofessor Martin

Luther (1483 – 1546). Seine Bibelübersetzung war die herausragende literarische Leistung des 16. Jahrhunderts. Im Unterschied zu früheren Übersetzungen begnügte sich Luther nicht damit, die lateinischen Wörter in deutsche zu übertragen – »das tun nur die Esel«, schrieb er. Er arbeitete mit den hebräischen und griechischen Urtexten, übersetzte aber auch die nicht einfach Wort für Wort, sondern sinngemäß mit möglichst treffenden Ausdrücken und bildhaften Formulierungen. Dabei orientierte er sich an der »gemeinen deutschen Sprache«, damit ihn die »Ober- und Niederländer« verstehen konnten, wie er selber sagte. »Man muss die mutter ihm hause, die kinder auff der gassen, den gemeinen man auff dem marckt drum fragen und den selbigen auff das maul sehen, wie sie reden, und darnach dolmetzschen, so verstehen sie es den und mercken, das man Deutsch mit in redet«, schrieb er in seinem *Sendbrief vom Dolmetzschen.* Darin gibt er auch das folgende Beispiel für seine Übersetzungsarbeit:

Martin Luther

Als wenn Christus spricht: »Ex abundantia cordis os loquitur.« Wenn ich den eseln sol folgen, die werden mir die buchstaben fürlegen und also dolmetzschen: »Aus dem überflus des hertzen redet der mund.« Sage mir: Ist das deutsch geredt? Welcher deutscher versteht solchs? Was ist »überflus des hertzen« für ein ding? Das kan kein deutscher sagen, er wolt denn sagen, es sey, das einer allzu ein groß hertz habe oder zu vil hertzes habe, wiewol das auch noch nicht recht ist. Denn »überflus des hertzen« ist kein deutsch, so wenig als das deutsch ist: überflus des hauses, überflus des kachelofens, überflus der banck. Sondern also redet die mutter im haus und der gemeine man: »Wes das hertz vol ist, des geht der mund über.« Das heist gut deutsch geredt, des ich mich geflissen und leider nicht allwege erreicht noch troffen habe. Denn die lateinischen buchstaben hindern aus der massen ser, gut deutsch zu reden.

Martin Luthers enormer sprachschöpferischer Kraft haben wir viele Wörter (zum Beispiel: Lückenbüßer, Feuereifer, Mördergrube), Sprichwörter und Redensarten (etwa: Unrecht Gut gedeihet nicht) und bildhafte Gleichnisse (wie: seine Hände in Unschuld waschen) zu verdanken. Er wurde gar als Vater der deutschen Sprache gefeiert. Das mag zwar übertrieben sein, aber für die Entwicklung einer einheitlichen deutschen Schriftsprache war Luthers Bibelübersetzung von allergrößter Bedeutung. Und sie trug zu einer Demokratisierung der Heiligen Schrift bei, denn nun konnte sie nicht mehr nur von wenigen Gebildeten gelesen werden, sondern auch vom Volk – sofern es lesen konnte.
Wie weit die Lutherbibel verbreitet war, wird schon daran deutlich, dass allein sein Wittenberger Drucker zwischen 1534 und 1570 etwa 100 000 Exemplare auslieferte, für damalige Verhältnisse eine gigantische Zahl.
Zu der literaturgeschichtlichen Bedeutung von Luthers Bibelsprache schrieb später der Pastorensohn und Philosoph Friedrich Nietzsche: »Der Prediger allein wußte in Deutschland, was eine Silbe, was ein Wort wiegt, inwiefern ein Satz schlägt, springt, stürzt, läuft, ausläuft, er allein hat ein Gewissen in seinen Ohren. [...] Das Meisterstück der deutschen Prosa ist deshalb billigerweise das Meisterstück ihres größten Predigers: Die Bibel war bisher das beste deutsche Buch.«

Die Welt als Jammertal

Noch viel bedeutender als für die Entwicklung der deutschen Sprache war Martin Luther als Kirchenreformer. Seine Kritik am Papst und an der katholischen Kirche führte schließlich zur Kirchenspaltung. Katholiken und Lutheraner, die Protestanten genannt wurden, standen sich bald feindselig gegenüber. 1618 begann ein Krieg zwischen ihnen, der 30 Jahre dauern sollte und großes Leid und Elend über die Menschen brachte. Gleichzeitig forderte »der schwarze Tod«, die Pest, viele Opfer. Und die Hexenverfolgungen erreichten ihren ersten Höhepunkt. Die Welt musste den meisten Menschen als ewiges Jammertal mit Kriegen, Pest, Not und Elend erscheinen.
Dass in dieser chaotischen Zeit auch gedichtet wurde, mag manche wundern. Aber vielleicht wollten die Dichter dem Chaos eine neue Ordnung entgegensetzen, vielleicht legten sie deshalb so viel Wert auf die äußere Form. Martin Opitz schrieb dazu sein *Buch von der Deutschen Poeterey* (1624). Darin stellte er unter anderem Regeln für die literarischen Gattungen auf. So hatte die Tragödie von hohen und höchsten Personen zu handeln, denn nur die seien zu tiefen Empfindungen und großen Gefühlen fähig. Die Komödie wurde weiter unten angesiedelt, bei den »schlechten Personen«, weil eine komische hohe Person undenkbar sei.
Im Kapitel *Von der Zubereitung und Zier der Wörter* verlangte Opitz von den Dichtern, klares, elegantes Deutsch zu schreiben, Fremdwörter und mundartliche Ausdrücke zu meiden und die Texte »zierlich« auszuschmücken. Für den deutschen Vers führte er die Zählung nach betonten Silben ein; betonte und unbetonte sollten sich regelmäßig abwech-

seln. Für diesen Wechsel von Hebung und Senkung empfahl er Jamben (»Erhalt uns Herr, bey deinem Wort«) und Trochäen (»Mitten wir im Leben sind«), für die Verszeile den Alexandriner (»Ich weiß nicht, was ich will, // ich will nicht, was ich weiß«).
Gerade der Alexandriner bot sich an, um die Gegensätze jener Zeit auch im Versbau zu verdeutlichen: einerseits der Blick auf die düsteren Seiten des Lebens, auf die Vergänglichkeit des Menschen und alles Irdischen; andererseits die neuen Hoffnungen durch Entdeckungen und Fortschritte auf dem Gebiet der Naturwissenschaften. Der Dichter, der diese Antithetik (Gegenüberstellung von Gegensätzen) in dem von Opitz geforderten poetischen Regelsystem am gekonntesten einsetzte, war Andreas Gryphius (1616 – 1664).

Es ist alles eitel

Du siehst, wohin du siehst, nur Eitelkeit auf Erden.
Was dieser heute baut, reißt jener morgen ein;
Wo itzund Städte stehn, wird eine Wiese sein,
Auf der ein Schäferskind wird spielen mit den Herden.

Was itzund prächtig blüht, soll bald zertreten werden;
Was itzt so pocht und trotzt, ist morgen Asch und Bein;
Nichts ist, das ewig sei, kein Erz, kein Marmorstein.
Itzt lacht das Glück uns an, bald donnern die Beschwerden.

Der hohen Taten Ruhm muß wie ein Traum vergehn.
Soll denn das Spiel der Zeit, der leichte Mensch, bestehn?
Ach, was ist alles dies, was wir für köstlich achten,

Als schlechte Nichtigkeit, als Schatten, Staub und Wind,
Als eine Wiesenblum, die man nicht wieder findt!
Noch will, was ewig ist, kein einig Mensch betrachten.

Andreas Gryphius

Obwohl Gryphius mit diesem bald 400 Jahre alten Sonett (so nennt man diese Gedichtform) seine Zeit charakterisiert hat, scheint es noch immer aktuell zu sein. Und auch die neue Form hat den Dichter lange überdauert. Viele Nachfolger haben sich an Gryphius' Sonetten orientiert.

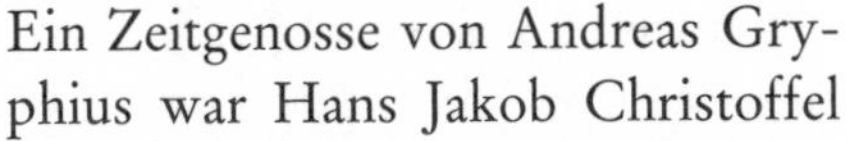

Ein Zeitgenosse von Andreas Gryphius war Hans Jakob Christoffel von Grimmelshausen. Er wurde um 1621 als Sohn eines protestantischen Bäckers und Gastwirts im hessischen Gelnhausen geboren und besuchte von 1627 bis 1634 die dortige Lateinschule. Als die Stadt angegriffen und zerstört wurde, floh er mit seinen Angehörigen nach Hanau. Dort wurde der 13-jährige Grimmelshausen von kroatischen Soldaten aufgegriffen und verschleppt. Von da an ließen ihn der Krieg und das Soldatenleben bis zum Ende des Dreißigjährigen Krieges nicht mehr los.

In seinem autobiographisch gefärbten Roman Der *Abentheuerliche Simplicissimus Teutsch* erzählte Grimmelshausen später die Geschichte eines Mannes in diesem Krieg. Dabei verwob er eigene Erlebnisse mit verschiedenen literarischen Quellen. Das umfangreiche Werk gilt als erster deutscher Schelmenroman. Grimmelshausen selbst hat in einer Art Leseanleitung geschrieben, der Roman wolle den Menschen unangenehme Wahrheiten über eine gottverlassene Welt verabreichen, und zwar in Form einer »über-zuckerten« Pille, damit das Lesen nicht nur unangenehm, sondern auch unterhaltsam sei. Dafür schuf er den frommen Einfaltspinsel Simplicius, der im Laufe seines Lebens viel

Hans Jakob Christoffel von Grimmelshausen

sieht und lernt, die Falschheit in der Welt immer mehr durchschaut und sich schließlich aus ihr zurückzieht, um als Einsiedler ein gottgefälliges Leben zu führen.
Der Roman beginnt mit einer kurzen Beschreibung des Lebens auf dem Bauernhof im Spessart, wo Simplicius aufwächst, ohne von Gott und der Welt etwas zu wissen.

Denn lieber Leser, wer hätte mir gesagt, daß ein Gott im Himmel wäre, wenn keine Krieger meines Knans Haus zernichtet und mich durch solche Fahung [Gefangennahme] unter die Leut gezwungen hätten, von denen ich genugsamen Bericht empfangen? Kurz zuvor konnte ich nichts anderes wissen noch mir einbilden, als daß mein Knan, Meuder, ich und das übrige Hausgesind allein auf Erden sei, weil mir sonst kein Mensch noch einzige andere menschliche Wohnung bekannt war, als diejenige, darin ich täglich aus- und einging: Aber bald hernach erfuhr ich die Herkunft der Menschen in diese Welt, und daß sie wieder daraus müßten; ich war nur mit der Gestalt ein Mensch, und mit dem Namen ein Christenkind, im übrigen aber nur eine Bestia!

Als die feindlichen Reiter auf dem Bauernhof grausam hausen, läuft Simplicius davon und versteckt sich im Wald. Dort trifft er auf einen Einsiedler.

Einsiedel:
Wie heißest du?
Simplicius:
Ich heiße Bub.

Eins.:

Ich sehe wohl, daß du kein Mägdlein bist, wie hat dir aber dein Vater und Mutter gerufen?

Simpl.:

Ich habe keinen Vater oder Mutter gehabt.

Eins.:

Wer hat dir denn das Hemd geben?

Simpl.:

Ei mein Meuder.

Eins.:

Wie heißet' dich denn dein Meuder?

Simpl.:

Sie hat mich Bub geheißen, auch Schelm, ungeschickter Tölpel und Galgenvogel.

Eins.:

Wer ist denn deiner Mutter Mann gewesen?

Simpl.:

Niemand.

Eins.:

Bei wem hat denn dein Meuder des Nachts geschlafen?

Simpl.:

Bei meinem Knan.

Eins.:

Wie hat dich denn dein Knan geheißen?

Simpl.:

Er hat mich auch Bub genennet.

Eins.:

Wie hieß aber dein Knan?

Simpl.:

Er heißt Knan.

Eins.:

Wie hat ihm aber dein Meuder gerufen?

Simpl.:

Knan, und auch Meister.

Eins.:
Hat sie ihn niemals anders genennet?
Simpl.:
Ja, sie hat.
Eins.:
Wie denn?
Simpl.:
Rülp, grober Bengel, volle Sau, und noch wohl anders, wenn sie haderte.
Eins.:
Du bist wohl ein unwissender Tropf, daß du weder deiner Eltern noch deinen eigenen Namen nicht weißt!
Simpl.:
Eia, weißt dus doch auch nicht.

Gegen Ende des Romans zieht Simplicius eine Bilanz seines Lebens:

»Dein Leben ist kein Leben gewesen, sondern ein Tod; deine Tage ein schwerer Schatten, deine Jahr ein schwerer Traum, deine Wollüst schwere Sünden, deine Jugend eine Phantasei und deine Wohlfahrt ein Alchimistenschatz, der zum Schornstein hinausfährt und dich verläßt, ehe du dich dessen versiehest! du bist durch viel Gefährlichkeiten dem Krieg nachgezogen und hast in demselbigen viel Glück und Unglück eingenommen, bist bald hoch bald nieder, bald groß bald klein, bald reich bald arm, bald fröhlich bald betrübt, bald beliebt bald verhaßt, bald geehrt und bald veracht gewesen: Aber nun du o mein arme Seel was hast du von dieser ganzen Reis zuwegen gebracht? Dies hast du gewonnen: Ich bin arm an Gut, mein Herz ist beschwert mit Sorgen, zu allem Guten bin ich faul, träg und verderbt, und was das Allerelendeste, so ist mein Gewissen ängstig und beschwert, du selbsten aber bist mit vielen Sünden überhäuft und abscheulich besudelt! der Leib ist müd, der Verstand verwirrt, die Unschuld ist hin, mein beste Jugend verschlissen, die edle Zeit verloren, nichts ist das mich erfreuet, und über dies alles bin ich mir selber feind. Als ich nach meines Vaters seligem Tod in diese Welt kam, da war ich einfältig und rein, aufrecht und redlich, wahrhaftig, demütig, eingezogen, mäßig, keusch, schamhaftig, fromm und andächtig; bin aber bald boshaftig, falsch, verlogen, hoffärtig, unruhig und überall ganz gottlos worden, welche Laster ich alle ohne einen Lehrmeister gelernet; [...] ich sah nur auf das Gegenwärtige und meinen zeitlichen Nutz und gedachte nicht einmal an das Künftige, viel weniger daß ich dermaleins vor Gottes Angesicht müßte Rechenschaft geben!«

Erst viel später nannte man die Zeit zwischen 1600 und 1720, in der Grimmelshausen und Gryphius lebten, »Barock«. Da die Menschen in ganz Europa ähnliche Erfahrungen gemacht hatten, waren auch die künstlerischen Ausdrucksformen ähnlich. Zu sehen ist das beispielsweise in der Baukunst an den Barockschlössern mit ihren geschwungenen Formen, den mit Stuck und Malerei verzierten Räumen und den großen, geometrisch angelegten Parks. Diesen prunkvollen Bauten und dem verschwenderischen Leben bei Hofe standen die Hütten und das armselige Leben des einfachen Volkes gegenüber.

Viele Dichter stellten solche und ähnliche Gegensätze in ihren Werken dar, zeigten die Menschen hin- und hergerissen zwischen Lebenslust und Todesangst, Schein und Sein, Vergänglichkeit und Ewigkeit, Wissen und Glauben, Welt und Gott.

Nachdem man sich in der Renaissance stärker dem Diesseits zugewandt hatte, wuchs nun eine neue Frömmigkeit. Vor diesem Hintergrund erlebte das deutsche Kirchenlied im Barock eine Blütezeit. *Geh aus mein Herz und suche Freud; Nun ruhen alle Wälder; O Haupt voll Blut und Wunden*

und viele andere Lieder von Paul Gerhardt (1607 – 1676) werden noch heute in Gottesdiensten gesungen.
Ebenfalls bis heute spürbar ist die Arbeit der Sprachgesellschaften, die im 17. Jahrhundert nach italienischem Vorbild auch in Deutschland entstanden. Gebildete Adlige und bürgerliche Gelehrte trafen sich zur »Pflege der deutschen Sprache«. Ziel war vor allem, ein von Fremdwörtern und mundartlichen Einflüssen gereinigtes Deutsch zu schaffen, das ebenbürtig neben anderen europäischen Kultursprachen bestehen konnte. Dazu sollten auch Grammatik und Orthographie vereinheitlicht werden – die bis heute übliche Großschreibung von Substantiven, die es nur im Deutschen gibt, geht auf das Barock zurück, wo sie sich als Lesehilfe immer mehr durchsetzte.
Nicht zuletzt ging es den Sprachgesellschaften um die Ausbildung einer eigenen kulturellen Identität; eine deutsche Sprache und eine deutsche Literatur sollten ein deutsches Nationalbewusstsein fördern.

Welche Aufgabe hat die Literatur?

Deutschland wurde durch den Dreißigjährigen Krieg am meisten verwüstet und geschwächt und von Frankreich als Führungsmacht in Europa abgelöst. Von dort kamen dann auch neue philosophische Gedanken. Die mit der Renaissance und dem Humanismus begonnene Überwindung des christlich geprägten mittelalterlichen Weltbildes setzte sich verstärkt fort. Kirchliche Lehrsätze und Glaubensüberlieferungen wurden wie andere »ererbte Wahrheiten« kritisch befragt und mit Hilfe des Verstandes beurteilt. Was dieser rationalen Überprüfung nicht standhielt, wurde verworfen. Nur was der Mensch mit seiner Vernunft erkennen könne, sei wahr, schrieb der Franzose René Descartes in seiner *Abhandlung über die Methode des richtigen Vernunftgebrauchs.* Ziel dieses neuen Denkens war der »aufgeklärte Mensch«.
Was unter Aufklärung zu verstehen sei, fasste der deutsche Philosoph Immanuel Kant zusammen: »Aufklärung ist der Ausgang des Menschen aus seiner selbstverschuldeten Unmündigkeit. Unmündigkeit ist das Unvermögen, sich seines Verstandes ohne Leitung eines anderen zu bedienen. Selbstverschuldet ist diese Unmündigkeit, wenn die Ursache derselben nicht am Mangel des Verstandes, sondern der Entschließung und des Mutes liegt, sich seiner ohne Leitung eines anderen zu bedienen. Sapere aude! Habe Mut, dich deines eigenen Verstandes zu bedienen! ist also der Wahlspruch der Aufklärung.«
Auch viele Dichter wurden von den neuen Gedanken beeinflusst. Dichtung im Dienst der Aufklärung – am deutlichsten hat dieses Ziel der Leipziger Professor für Philo-

sophie und Dichtkunst Johann Christoph Gottsched in seinem 1730 erschienenen Werk *Versuch einer Critischen Dichtkunst vor die Deutschen* formuliert: »Der Poet wählet sich einen moralischen Lehrsatz, den er seinen Zuschauern auf eine sinnliche Art einprägen will. Dazu ersinnt er sich eine allgemeine Fabel, daraus die Wahrheit eines Satzes erhellet. Hiernächst suchet er in der Historie solche berühmte Leute, denen etwas Ähnliches begegnet ist; und von diesen entlehnet er die Namen für die Personen seiner Fabel; um derselben also ein Ansehen zu geben. [...] Die ganze Fabel hat nur eine Hauptabsicht: nämlich einen moralischen Satz; also muß sie auch nur eine Haupthandlung haben, um deretwegen alles Übrige vorgeht.«

Nach Gottsched hat Dichtung die aufklärerischen Ideen auf allgemein verständliche und angenehme Weise zu vermitteln. Sie soll den Menschen lehren, wie er sich zu verhalten hat, und ihn so zu einem guten Menschen erziehen. Am besten geeignet schien ihm dafür das Theater, weil dort dem Menschen unmittelbar vor Augen geführt werden kann, wie er leben soll. Deswegen widmete er sich in seinem Buch besonders ausführlich dem Drama.

Zu jener Zeit wurde von wandernden Schauspielergruppen an Fürstenhöfen und auf Marktplätzen Theater gespielt, zur Unterhaltung und Belustigung des jeweiligen Publikums. Vor allem in den Stücken für das einfache Volk ging es dabei ziemlich deftig, bisweilen sogar blutrünstig zu. Ähnlich wie heute im Fernsehen waren Mord und Totschlag wichtige Reizmittel, um die Sensationsgier der Leute zu befriedigen und die »Sehbeteiligung« zu erhöhen. Dafür sollte auch die wichtigste Figur, der Hanswurst, sorgen. Er hatte die Zuschauer mit derben, unanständigen Späßen bei Laune zu halten.

Es waren diese »Hanswurstiaden«, gegen die sich Gottsched wandte. Wie schon Martin Opitz hundert Jahre zuvor verlangte er, dass in der »hohen Literatur« auch nur »hohe Menschen«, also Fürsten und Adlige, auftreten sollten, in der »niederen Literatur« nur Bürger und Landleute. Und für das Drama verlangte er die Einheit von Ort, Zeit und Handlung: Das ganze Stück hatte ohne Szenenwechsel an einem Ort zu spielen, und zwar an höchstens einem Tag, damit die dargestellte mit der wirklichen Zeit identisch war. Und die Handlung sollte ohne Nebenhandlung zielstrebig ablaufen. Für Gottsched war die Forderung der drei Einheiten eine logische Konsequenz der Aufklärung: Das Drama hatte zwar keine wirkliche, aber doch eine mögliche Begebenheit darzustellen, die »wahrscheinlich« und mit dem Verstand nachvollziehbar sein musste. Für Wunder und dergleichen Dinge war da kein Platz.

Doch gegen Gottscheds Auffassung von der Dichtkunst wurden schon bald kritische Stimmen laut. Die beiden Schweizer Literaturkritiker Johann Jakob Bodmer und Johann Jakob Breitinger vertraten die Ansicht, Dichtung habe sich nicht nur an den Verstand zu wenden. Vielmehr dürfe die schöpferische Phantasie des Dichters in neue Welten vordringen und dabei das Mögliche dem Wirklichen gegenüberstellen. Damit wiesen sie einen Weg aus der Sackgasse, in die Gottsched die Literatur mit der Überbetonung des Rationalen geführt hatte.

Zum schärfsten Kritiker Gottscheds wurde jedoch Gotthold Ephraim Lessing (1729 – 1781). Seinen *17. Literaturbrief* von 1759 beginnt er mit den Worten: »›Niemand‹, sagen die Verfasser der [Zeitschrift] Bibliothek, ›niemand wird leugnen, daß die deutsche Schaubühne einen großen Teil ihrer ersten Verbesserung dem Herrn Professor Gottsched zu danken habe.‹ Ich bin dieser Niemand; ich leugne es geradezu. Es wäre zu wünschen, daß sich Herr Gottsched niemals mit dem Theater vermengt hätte.«

Gotthold Ephraim Lessing

Lessing lehnte sowohl die strenge Lehre von den drei Einheiten als auch die Ständeklausel ab. Er wollte Menschen auf der Bühne sehen, nicht Angehörige von Ständen. »Die Namen von Fürsten und Helden können einem Stück Pomp und Majestät geben; aber zur Rührung tragen sie nichts bei. Das Unglück derjenigen, deren Umstände den unsrigen am nächsten kommen, muß natürlicherweise am tiefsten in unsre Seele dringen; und wenn wir mit Königen Mitleid haben, so haben wir es mit ihnen als mit Menschen und nicht als mit Königen«, schrieb Lessing und verwies dabei auf die Dramen des Engländers William Shakespeare. Von ihnen angeregt, schuf Lessing zum ersten Mal in Deutschland »gemischte Charaktere«, also Menschen, die sowohl gute als auch schlechte Eigenschaften in sich trugen. Mit dieser psychologisch-realistischen Menschengestaltung gab Lessing der deutschen Literatur ein neues Fundament, die Geschichte der neueren deutschen Literatur und des Theaters begann. Und der Theoretiker Lessing führte sie als Praktiker gleich selbst zu ihrem ersten Höhepunkt.

Nach Lessing hatte die Literatur nicht der moralischen Belehrung im Gottsched'schen Sinne zu dienen, sondern der sittlichen Läuterung. Wie schon die alten Griechen sah Lessing den Sinn von Literatur darin, beim Zuschauer und beim Leser Furcht und Mitleid zu erregen. Das Mitleid mit den Handelnden und die Furcht, ein ähnliches Leid könnte auch ihn treffen, sollte beim Zuschauer und beim Leser zur Reinigung des Gemüts (Katharsis) führen und ihn auf diese Weise zu einem besseren Menschen machen. »Der mitleidigste Mensch ist der beste Mensch, zu allen gesellschaftlichen Tugenden, zu allen Arten der Großmut der aufgelegteste. Wer uns also mitleidig macht, macht uns besser und tugendhafter.«

Und weil die Literatur nicht mehr nur für Fürsten und Adlige, sondern letztlich für alle Bürger sein sollte, machte Lessing auch Bürgerinnen und Bürger zu Hauptpersonen seiner Stücke. So in *Miss Sara Sampson* und *Emilia Galotti*, den ersten bürgerlichen Trauerspielen in Deutschland, bei denen er sich auch nicht mehr an die von Gottsched geforderte Versform hielt, sondern die Prosaform wählte.

Emilia Galotti geht auf eine Geschichte des römischen Historikers Livius zurück. Lessing aktualisierte die Geschichte, ließ sie aber nicht in Deutschland, sondern in Italien spielen – wegen der deutlichen Kritik an der absolutistischen Willkür deutscher Fürsten.

Der Prinz von Guastalla begehrt die Bürgertochter Emilia Galotti, die jedoch mit dem Grafen Appiani verlobt ist. Der skrupellose Kammerherr des Prinzen lässt am Tag der Hochzeit das Brautpaar von »Räubern« überfallen, den Grafen töten und Emilia scheinbar vor den »Räubern« retten und auf das Lustschloss des Prinzen bringen. Hier ist sie seinen Nachstellungen und Verführungskünsten ausgeliefert. Und da sie fürchtet, verführbar zu sein, bittet Emilia ihren Vater Odoardo, sie zu töten, um ihre Unschuld und ihre Ehre zu retten.

Odoardo: [...] Auch du hast nur ein Leben zu verlieren.
Emilia: Und nur eine Unschuld.
Odoardo: Die über alle Gewalt erhaben ist.
Emilia: Aber nicht über alle Verführung. Gewalt! Gewalt! Wer kann der Gewalt nicht trotzen? Was Gewalt heißt, ist nichts. Verführung ist die wahre Gewalt. – Ich habe Blut, mein Vater, so jugendliches, so warmes Blut als eine. Auch meine Sinne sind Sinne. Ich stehe für nichts ...

Der Vater erkennt die Gefahr, in der Emilia sich sieht. Kurze Zeit denkt er daran, den Prinzen zu töten, wagt den Fürstenmord dann aber doch nicht und bringt seine Tochter um. Schon Lessings Zeitgenossen verstanden, dass Guastalla mitten in Deutschland liegt. Und bis heute gilt *Emilia Galotti* als erstes bedeutendes politisches Drama der deutschen Literatur.
Auch das erste große Lustspiel in deutscher Sprache stammt von Lessing, *Minna von Barnhelm*; es steht noch immer regelmäßig auf den Theaterspielplänen.
Gleiches gilt für Lessings letztes Stück, *Nathan der Weise*, das zu seinem Vermächtnis wurde. Vorausgegangen war eine öffentliche Auseinandersetzung mit dem erzkonservativen Hamburger Hauptpastor Johann Melchior Goeze über Fragen des Glaubens und der Religion. Auf Druck der Kirche verlangte der Braunschweiger Herzog von Lessing, sich in dieser Sache nicht mehr unzensiert zu äußern. Da beschloss Lessing, von seiner »alten Kanzel«, dem Theater, »zu predigen«. Er tat dies nicht wie bis dahin in Prosa, sondern wählte erstmals den »Blankvers« und machte damit den fünfhebigen, ungereimten Jambus zum Modell für das klassische deutsche Drama.

Das Stück spielt zur Zeit des dritten Kreuzzugs (1189 – 1192) in Jerusalem unter Juden, Christen und Moslems. Nach einigen Konflikten und Verwicklungen steuert die Handlung auf ein Gespräch zwischen dem Sultan Saladin und Nathan zu. Der Sultan möchte von dem weisen Mann wissen, welche der drei Religionen er für die wahre halte. Nathan antwortet mit einem Gleichnis, der Ringparabel:

Nathan:
Vor grauen Jahren lebt' ein Mann in Osten,
Der einen Ring von unschätzbarem Wert
Aus lieber Hand besaß. Der Stein war ein
Opal, der hundert schöne Farben spielte,
Und hatte die geheime Kraft, vor Gott
Und Menschen angenehm zu machen, wer
In dieser Zuversicht ihn trug. Was Wunder,
Daß ihn der Mann in Osten darum nie
Vom Finger ließ; und die Verfügung traf,
Auf ewig ihn bei seinem Hause zu
Erhalten? Nämlich so. Er ließ den Ring
Von seinen Söhnen dem geliebtesten;
Und setzte fest, daß dieser wiederum
Den Ring von seinen Söhnen dem vermache,
Der ihm der liebste sei; und stets der liebste,
Ohn' Ansehn der Geburt, in Kraft allein
Des Rings, das Haupt, der Fürst des Hauses werde. –
Versteh mich, Sultan.
Saladin: Ich versteh' dich. Weiter!
Nathan:
So kam nun dieser Ring, von Sohn zu Sohn,
Auf einen Vater endlich von drei Söhnen;
Die alle drei ihm gleich gehorsam waren,
Die alle drei er folglich gleich zu lieben
Sich nicht entbrechen konnte. Nur von Zeit

Zu Zeit schien ihm bald der, bald dieser, bald
Der dritte, – sowie jeder sich mit ihm
Allein befand, und sein ergießend Herz
Die andern zwei nicht teilten, – würdiger
Des Ringes; den er denn auch einem jeden
Die fromme Schwachheit hatte, zu versprechen.
Das ging nun so, solang es ging. – Allein
Es kam zum Sterben, und der gute Vater
Kömmt in Verlegenheit. Es schmerzt ihn, zwei
Von seinen Söhnen, die sich auf sein Wort
Verlassen, so zu kränken. – Was zu tun? -
Er sendet in geheim zu einem Künstler,
Bei dem er, nach dem Muster seines Ringes,
Zwei andere bestellt, und weder Kosten
Noch Mühe sparen heißt, sie jenem gleich,
Vollkommen gleich zu machen. Das gelingt
Dem Künstler. Da er ihm die Ringe bringt,
Kann selbst der Vater seinen Musterring
Nicht unterscheiden. Froh und freudig ruft
Er seine Söhne, jeden insbesondre;
Gibt jedem insbesondre seinen Segen, -
Und seinen Ring, – und stirbt. – Du hörst doch,
Sultan?

Saladin *(der sich betroffen von ihm gewandt):*
Ich hör', ich höre! – Komm mit deinem Märchen
Nur bald zu Ende. – Wird's?

Nathan: Ich bin zu Ende.
Denn was noch folgt, versteht sich ja von selbst. –
Kaum war der Vater tot, so kömmt ein jeder
Mit seinem Ring, und jeder will der Fürst
des Hauses sein. Man untersucht, man zankt,
Man klagt. Umsonst; der rechte Ring war nicht
Erweislich; – *(nach einer Pause, in welcher er des Sultans Antwort erwartet)*

Fast so unerweislich, als
Uns itzt – der rechte Glaube.
Saladin: Wie? das soll
Die Antwort sein auf meine Frage? ...
Nathan: Soll
Mich bloß entschuldigen, wenn ich die Ringe
Mir nicht getrau' zu unterscheiden, die
Der Vater in der Absicht machen ließ,
Damit sie nicht zu unterscheiden wären.
Saladin:
Die Ringe! – Spiele nicht mit mir! – Ich dächte,
Daß die Religionen, die ich dir
Genannt, doch wohl zu unterscheiden wären.
Bis auf die Kleidung, bis auf Speis' und Trank!
Nathan: Und nur von seiten ihrer Gründe nicht. –
Denn gründen alle sich nicht auf Geschichte?
Geschrieben oder überliefert! – Und
Geschichte muß doch wohl allein auf Treu'
Und Glauben angenommen werden? – Nicht? –
Nun, wessen Treu' und Glauben zieht man denn
Am wenigsten in Zweifel? Doch der Seinen?
Doch deren Blut wir sind? doch deren, die
Von Kindheit an uns Proben ihrer Liebe
Gegeben? die uns nie getäuscht, als wo
Getäuscht zu werden uns heilsamer war? –
Wie kann ich meinen Vätern weniger
Als du den deinen glauben? Oder umgekehrt. –
Kann ich von dir verlangen, daß du deine
Vorfahren Lügen strafst, um meinen nicht
Zu widersprechen? Oder umgekehrt.
Das nämliche gilt von den Christen. Nicht? –
Saladin: (Bei dem Lebendigen! Der Mann hat recht.
Ich muß verstummen.)
Nathan: Laß auf unsre Ring'
Uns wieder kommen. Wie gesagt: die Söhne

Verklagten sich; und jeder schwur dem Richter,
Unmittelbar aus seines Vaters Hand
Den Ring zu haben. – Wie auch wahr! – Nachdem
Er von ihm lange das Versprechen schon
Gehabt, des Ringes Vorrecht einmal zu
Genießen. – Wie nicht minder wahr! – Der Vater,
Beteurte jeder, könne gegen ihn
Nicht falsch gewesen sein; und eh' er dieses
Von ihm, von einem solchen lieben Vater,
Argwohnen lass': eh' müss' er seine Brüder,
So gern er sonst von ihnen nur das Beste
Bereit zu glauben sei, des falschen Spiels
Bezeihen; und er wolle die Verräter
Schon auszufinden wissen; sich schon rächen.

Saladin:
Und nun, der Richter? – Mich verlangt zu hören,
Was du den Richter sagen lässest. Sprich!

Nathan:
Der Richter sprach: Wenn ihr mir nun den Vater
Nicht bald zur Stelle schafft, so weis' ich euch
Von meinem Stuhle. Denkt ihr, daß ich Rätsel
Zu lösen da bin? Oder harret ihr,
Bis daß der rechte Ring den Mund eröffne? –
Doch halt! Ich höre ja, der rechte Ring
Besitzt die Wunderkraft beliebt zu machen;
Vor Gott und Menschen angenehm. Das muß
Entscheiden! Denn die falschen Ringe werden
Doch das nicht können! – Nun: wen lieben zwei
Von Euch am meisten? – Macht, sagt an! Ihr
schweigt?
Die Ringe wirken nur zurück? und nicht
Nach außen? – Jeder liebt sich selber nur
Am meisten? – O, so seid ihr alle drei
Betrogene Betrüger! Eure Ringe
Sind alle drei nicht echt. Der echte Ring

Vermutlich ging verloren. Den Verlust
Zu bergen, zu ersetzen, ließ der Vater
Die drei für einen machen.

Saladin: Herrlich! Herrlich!

Nathan: Und also, fuhr der Richter fort, wenn ihr
Nicht meinen Rat, statt meines Spruches, wollt:
Geht nur! – Mein Rat ist aber der: ihr nehmt
Die Sache völlig wie sie liegt. Hat von
Euch jeder seinen Ring von seinem Vater:
So glaubte jeder sicher seinen Ring
Den echten. – Möglich: daß der Vater nun
Die Tyrannei des *einen* Rings nicht länger
In seinem Hause dulden wollen! – Und gewiß:
Daß er euch alle drei geliebt, und gleich
Geliebt: indem er zwei nicht drücken mögen,
Um einen zu begünstigen. – Wohlan!
Es eifre jeder seiner unbestochnen
Von Vorurteilen freien Liebe nach!
Es strebe von euch jeder um die Wette,
Die Kraft des Steins in seinem Ring' an Tag
Zu legen! komme dieser Kraft mit Sanftmut,
Mit herzlicher Verträglichkeit, mit Wohltun,
Mit innigster Ergebenheit in Gott
Zu Hilf'! Und wenn sich dann der Steine Kräfte
Bei euern Kindes-Kindeskindern äußern:
So lad' ich über tausend tausend Jahre
Sie wiederum vor diesen Stuhl. Da wird
Ein weisrer Mann auf diesem Stuhle sitzen
Als ich; und sprechen. Geht! – So sagte der
Bescheidne Richter.

Saladin: Gott! Gott!

Nathan: Saladin,
Wenn du dich fühlest, dieser weisere
Versprochne Mann zu sein: ...

Saladin *(der auf ihn zustürzt und seine Hand ergreift,*

die er bis zu Ende nicht wieder fahren läßt):
Ich Staub? Ich nichts?
O Gott!

Nathan: Was ist dir, Sultan?

Saladin: Nathan, lieber Nathan! –
Die tausend tausend Jahre deines Richters
Sind noch nicht um. – Sein Richterstuhl ist nicht
Der meine. – Geh! – Geh! – Aber sei mein Freund.

Beeindruckender als in Lessings *Nathan der Weise* ist selten ausgedrückt worden, was Humanität und Toleranz bedeuten.

Mit Götterkraft begabt

Die Vorherrschaft des Verstandes entsprach nicht der Auffassung, die viele, vor allem junge Menschen in der zweiten Hälfte des 18. Jahrhunderts vom Leben und Dichten hatten. »Wir sehen und fühlen kaum mehr, sondern denken und grübeln nur; wir dichten nicht über und in lebendiger Welt, im Sturm und im Zusammenströmen solcher Gegenstände, solcher Empfindungen, sondern erkünsteln uns entweder Thema oder Art, das Thema zu behandeln, oder gar beides, und haben uns so lange, so oft, so von früh auf erkünstelt, daß uns freilich jetzt kaum eine freie Ausbildung mehr glücken würde; denn wie kann ein Lahmer gehen?« So fasste Johann Gottfried Herder den Zeitgeist in Worte. Er berief sich dabei auch auf den französischen Philosophen Jean-Jacques Rousseau, der in seinen Schriften den »unnatürlichen« Rationalismus kritisierte und »Zurück zur Natur!« forderte. Damit meinte er nicht, die Menschen sollten sozusagen zurück auf die Bäume, wie ihm oft unterstellt wurde. Nach Rousseau hat die Kultur dem Menschen seine Natürlichkeit genommen, ihn selbstsüchtig und böse gemacht. Um wieder gut zu werden und im Einklang mit der Natur zu leben, muss er seinen Gefühlen und Instinkten mehr gehorchen als seinem Verstand.

Auf die Literatur übertragen bedeuteten diese Gedanken eine radikale Abkehr von der »Regelpoetik«. Wahre Dichtung konnte nur aus den schöpferischen Kräften leidenschaftlicher Gefühle entstehen, die nicht von Regeln und angelerntem Wissen eingeengt wurden. Der schon von Lessing bewunderte Shakespeare verkörperte für Herder das neue Dichterideal vollkommen. In ihm sah Herder das

Genie, das aus sich heraus die Menschen, das Leben, die Welt gleichsam neu erschafft; er sei »ein Sterblicher mit Götterkraft begabt«.
Die »jungen Wilden« wollten beim Schreiben ausdrücken, was in ihnen rumorte, was sie beschäftigte und bedrängte. Deswegen nennt man diese kurze Epoche zwischen 1770 und 1785 »Sturm und Drang« (nach einem 1776 erschienenen gleichnamigen Drama von Friedrich Maximilian Klinger). Ein schönes Beispiel für die so genannte Erlebnislyrik dieser Epoche stammt von dem jungen Johann Wolfgang Goethe (1749 – 1832).

Willkommen und Abschied

Es schlug mein Herz, geschwind zu Pferde!
Es war getan, fast eh gedacht.
Der Abend wiegte schon die Erde,
Und an den Bergen hing die Nacht;
Schon stand im Nebelkleid die Eiche,
Ein aufgetürmter Riese, da,
Wo Finsternis aus dem Gesträuche
Mit hundert schwarzen Augen sah.

Der Mond von einem Wolkenhügel
Sah kläglich aus dem Duft hervor,
Die Winde schwangen leise Flügel,
Umsausten schauerlich mein Ohr;
Die Nacht schuf tausend Ungeheuer;
Doch frisch und fröhlich war mein Mut:
In meinen Adern welches Feuer!
In meinem Herzen welche Glut!

Dich sah ich, und die milde Freude
Floß von dem süßen Blick auf mich;

Ganz war mein Herz an deiner Seite
Und jeder Atemzug für dich.
Ein rosenfarbnes Frühlingswetter
Umgab das liebliche Gesicht,
Und Zärtlichkeit für mich – ihr Götter!
Ich hofft es, ich verdient es nicht!

Doch ach, schon mit der Morgensonne
Verengt der Abschied mir das Herz:
In deinen Küssen welche Wonne!
In deinem Auge welcher Schmerz!
Ich ging, du standst und sahst zur Erden
Und sahst mir nach mit nassem Blick:
Und doch, welch Glück, geliebt zu werden!
Und lieben, Götter, welch ein Glück!

Willkommen und Abschied, Freude und Leid gehören zum Leben. Nur wer beides intensiv genossen hat, ist in den Augen des jungen Goethe ein wahrer Mensch und den Göttern zumindest ein wenig ähnlich – so wie er selbst.
Für *Willkommen und Abschied* gab es einen realen Anlass: Goethes Liebe zu der Sesenheimer Pfarrerstochter Friederike Brion während seiner Studienzeit in Straßburg und die Trennung von ihr. Auch in dem Liebesroman Die *Leiden des jungen Werthers* schrieb sich Goethe eigene Erlebnisse von der Seele. Als junger Jurist arbeitete er 1772 in Wetzlar. Dort lernte er Charlotte Buff kennen und verliebte sich in sie, ohne zu wissen, dass sie mit einem Berufskollegen verlobt war. Als er es erfuhr, »faßte ich den Entschluß, mich freiwillig zu entfernen, ehe ich durch das Unerträgliche vertrieben würde«, schrieb er.
Auch Maximiliane La Roche, in die sich Goethe anschließend verliebte, heiratete einen anderen. In dieser schwieri-

gen Gefühlslage hörte Goethe, dass sich ein junger Mann, den er aus Wetzlar kannte, wegen der hoffnungslosen Liebe zu einer verheirateten Frau erschossen habe. Darin sah Goethe sein mögliches Schicksal, wurde von »großem Trübsinn« geplagt und befreite sich aus dieser Stimmung, indem er »ziemlich unbewußt, einem Nachtwandler ähnlich« in vier Wochen alles niederschrieb, was ihn bedrängte. Die Form des Briefromans, die Goethe dafür wählte, ähnelt einem Tagebuch und ist der fortlaufende Monolog eines verwundeten Herzens. Diese Ich-Erzählperspektive öffnet Werthers Gefühls- und Gedankenwelt und ermöglicht eine starke Identifikation des Lesers mit dem »Helden«. Weil der nicht nur unglücklich verliebt ist, sondern auch an den gesellschaftlichen Normen und Zwängen leidet, die ihm ein natürliches, freies Leben unmöglich machen, will er nicht mehr leben und erschießt sich.
Mit dem *Werther* traf Goethe den Nerv der Zeit. Vor allem junge Menschen fühlten sich angesprochen und verstanden. Ein regelrechtes Werther-Fieber brach aus, man kleidete sich wie Werther und es gab sogar Selbstmorde im Werther-Stil. Das Buch wurde zu einem großen Erfolg in ganz Europa und machte Goethe praktisch über Nacht berühmt.
Die Stürmer und Dränger dichteten aber nicht nur von der Natur und großen Gefühlen, sie klagten in ihren Texten auch das Unrecht im Land an und forderten mehr Rechte und Freiheit für die Menschen. Das war allerdings ziemlich riskant, weshalb der Schwabe Christian Friedrich Daniel Schubart in seiner *Deutschen Chronik* schrieb: »Glaubs wohl, Hunger, Schmach, öffentliche Schande erwarten den, der's wagt, frey von der Brust zu schreiben.« Wie Recht er mit dieser Prophezeiung hatte, musste er am eigenen Leib erfahren. Weil er in seinen Texten die Obrigkeit kritisierte,

ließ ihn der württembergische Herzog Karl Eugen verhaften und ohne Gerichtsurteil für zehn Jahre in den Kerker werfen.
Auch ein junger Landsmann Schubarts wurde von dem Herzog in eine Art Gefängnis gesteckt: Friedrich Schiller (1759 – 1805). Gegen den Willen seiner Eltern, die ihren Sohn Theologie studieren lassen wollten, musste der begabte Friedrich die Hohe Karlsschule besuchen. In dieser berüchtigten Anstalt waren die Zöglinge weitgehend von der Außenwelt abgeschnitten. Absoluter Gehorsam und militärischer Drill sollten jede Individualität ersticken und unterwürfige Staatsdiener hervorbringen.
Hier schrieb der junge Schiller heimlich und in ständiger Gefahr, erwischt zu werden, sein erstes Drama *Die Räuber*. Ein glühendes Verlangen nach Freiheit, Kraft und Größe spricht schon aus den ersten Sätzen Karl Moors: »Nein, ich mag nicht daran denken! Ich soll meinen Leib pressen in eine Schnürbrust und meinen Willen schnüren in Gesetze. Das Gesetz hat zum Schneckengang verdorben, was Adlerflug geworden wäre. Das Gesetz hat noch keinen großen Mann gebildet, aber die Freiheit brütet Kolosse und Extremitäten aus.«
Die Uraufführung des Dramas in Mannheim am 13. Januar 1782 wurde ein sensationeller Erfolg. »Das Theater glich einem Irrenhaus, rollende Augen, geballte Fäuste, heisere Aufschreie im Zuschauerraum. Fremde Menschen fielen einander schluchzend in die Arme, Frauen wankten, einer Ohnmacht nahe, zur Tür. Es war eine allgemeine Auflösung wie im Chaos, aus dessen Nebeln eine neue Schöpfung hervorbricht«, notierte ein Augenzeuge.
Als Herzog Karl Eugen erfuhr, dass Schiller so ein Stück geschrieben hatte und auch noch ohne seine Erlaubnis in

Mannheim gewesen war, ließ er ihn vierzehn Tage einsperren und verbot ihm, weitere Stücke zu schreiben. Weil Schiller schreiben, aber nicht wie Schubart im Kerker landen wollte, floh er aus Württemberg ins benachbarte »Ausland« nach Mannheim.
Es folgten schwere Jahre, in denen Schiller oft nur dank der wenigen Freunde über die Runden kam. Unter diesen schwierigen Bedingungen schrieb er unter anderem das Schauspiel *Kabale und Liebe* und kritisierte darin noch schärfer als zuvor die gesellschaftlichen Zustände in den deutschen Ländern und die fürstliche Willkürherrschaft.
Viele Fürsten scheuten zum Beispiel vor nichts zurück, um Geld in ihre Kassen zu bekommen; sie verkauften sogar ihre Untertanen, die dann als Soldaten im amerikanischen Unabhängigkeitskrieg kämpfen und sterben mussten. In *Kabale und Liebe* hat Schiller diesen Menschenhandel unverhüllt zur Sprache gebracht:

Kammerdiener: Seine Durchlaucht der Herzog empfehlen sich Mylady zu Gnaden und schicken Ihnen diese Brillanten zur Hochzeit. Sie kommen soeben erst aus Venedig.

Lady *(hat das Kästchen geöffnet und fährt erschrocken zurück)*: Mensch! was bezahlt dein Herzog für diese Steine?

Kammerdiener *(mit finsterm Gesicht)*: Sie kosten ihn keinen Heller.

Lady: Was? Bist du rasend? Nichts? – Und *(indem sie einen Schritt von ihm wegtritt)* du wirfst mir ja einen Blick zu, als wenn du mich durchbohren wolltest – nichts kosten ihn diese unermeßlich kostbaren Steine?

Kammerdiener: Gestern sind siebentausend Landskinder nach Amerika fort – die zahlen alles!

Lady *(setzt den Schmuck plötzlich nieder und geht rasch durch den Saal, nach einer Pause zum Kammerdiener)*: Mann, was ist dir? Ich glaube, du weinst?

Kammerdiener *(wischt sich die Augen, mit schrecklicher Stimme, alle Glieder zitternd)*: Edelsteine, wie diese da! – Ich hab auch ein paar Söhne drunter.

Lady *(wendet sich bebend weg, seine Hand fassend)*: Doch keinen Gezwungenen?

Kammerdiener *(lacht fürchterlich)*: O Gott! – nein – lauter Freiwillige! Es traten wohl so etliche vorlaute Bursch vor die Front heraus und fragten den Obersten, wie teuer der Fürst das Joch Menschen verkaufe? Aber unser gnädigster Landesherr ließ alle Regimenter auf dem Paradeplatz aufmarschieren und die Maulaffen niederschießen. Wir hörten die Büchsen knallen, sahen ihr Gehirn auf das Pflaster spritzen, und die ganze Armee schrie: »Juchhe! Nach Amerika!«

Goethe und Schiller

Die »jungen Wilden« wurden älter und ruhiger, ihre Sturm-und-Drang-Zeit ging zu Ende. Bei den einen etwas schneller und reibungsloser, bei anderen dauerte die Wandlung länger. Neben Goethe und Schiller gab es in jener Zeit natürlich auch noch andere Dichter. Aber alle standen bald im mächtigen Schatten der beiden Großen. Daran änderte sich bis zum Tod Schillers im Jahre 1805 nichts und bis zum Tod Goethes 27 Jahre später nicht viel. Deshalb denkt man zuerst an die Werke von Goethe und Schiller, wenn von der »klassischen Zeit der deutschen Dichtung« die Rede ist.
»Klassisch« bedeutet in der Umgangssprache vorbildlich und zeitlos gültig. Von einer »klassischen Epoche« spricht man, wenn Dichter eines Landes in einer überschaubaren Zeitspanne großartige, zeitlos gültige Werke schaffen, in denen das Besondere des Volkes mit zum Ausdruck kommt. Wie lange die »Deutsche Klassik« dauerte, darüber streiten sich die Gelehrten bis heute. Aber dass Johann Wolfgang von Goethe und Friedrich Schiller die hervorragendsten Vertreter waren, darüber sind sich alle einig. Und weil beide auf Einladung der Herzogin Anna Amalia in das kleine Städtchen Weimar übersiedelten, spricht man auch von der »Weimarer Klassik«.
Während Goethe und Schiller wie andere deutsche Dichter und Denker noch über den richtigen Weg zu einer freiheitlichen deutschen Nation philosophierten, handelten die französischen Nachbarn im Juli 1789. Die Französische Revolution wurde von der deutschen Geisteswelt freudig begrüßt. Diese Freude schlug aber in Entsetzen um, als die Revolution blutig wurde und Köpfe rollten.

Johann Wolfgang Goethe
und Friedrich Schiller

Für Schiller war der Verlauf der Revolution ein Beweis, dass allein die Aufklärung des Verstandes die Menschen noch nicht besser macht. Das neue Bildungsziel formulierte er in der Abhandlung *Über die ästhetische Erziehung des Menschen:* »Alle Verbesserung im Politischen soll von der Veredlung des Charakters ausgehen – aber wie kann sich unter den Einflüssen einer barbarischen Staatsverfassung der Charakter veredeln? Man müßte also zu diesem Zweck ein Werkzeug aufsuchen, welches der Staat nicht hergibt, und Quellen dazu eröffnen, die sich bei aller politischen Verderbnis rein und lauter erhalten. Dieses Werkzeug ist die schöne Kunst, diese Quellen öffnen sich in ihren unsterblichen Mustern.« Wer die politischen Verhältnisse dauerhaft und auf humane Weise ändern will, muss laut Schiller also zuerst die Menschen mit Hilfe der Kunst bilden und ändern. Schiller selbst versuchte das als Dichter auf unterschiedliche Weise, nicht zuletzt in seinen Balladen, die er wie verknappte Dramen aufbaute. In ihnen formulierte er modellhaft, wie er sich menschliches Handeln vorstellte.

Die Bürgschaft

Zu Dionys, dem Tyrannen, schlich
Damon, den Dolch im Gewande;
Ihn schlugen die Häscher in Bande.
»Was wolltest du mit dem Dolche, sprich!«

Entgegnet ihm finster der Wüterich.
»Die Stadt vom Tyrannen befreien!«
»Das sollst du am Kreuze bereuen!«

»Ich bin«, spricht jener, »zu sterben bereit
Und bitte nicht um mein Leben;
Doch willst du Gnade mir geben,
Ich flehe dich um drei Tage Zeit,
Bis ich die Schwester dem Gatten gefreit;
Ich lasse den Freund dir als Bürgen –
Ihn magst du, entrinn ich, erwürgen.«

Da lächelt der König mit arger List
Und spricht nach kurzem Bedenken:
»Drei Tage will ich dir schenken.
Doch wisse: wenn sie verstrichen, die Frist,
Eh du zurück mir gegeben bist,
So muß er statt deiner erblassen,
Doch dir ist die Strafe erlassen.«

Der tyrannische König denkt natürlich, Damon werde die Chance nützen und sein Leben retten. Aber nachdem er seine Schwester verheiratet hat, macht sich Damon auf den Weg zurück. Doch ein sintflutartiger Regen lässt Bäche zu gewaltigen Strömen anschwellen und Räuber trachten ihm nach dem Leben. Obwohl er mit beinahe übermenschlicher Kraft alle Schwierigkeiten überwindet, verliert er zu viel Zeit. Damon fürchtet, den Freund nicht mehr davor bewahren zu können, dass er an seiner Stelle hingerichtet wird.

»Und ist es zu spät und kann ich ihm nicht
Ein Retter willkommen erscheinen,
So soll mich der Tod ihm vereinen.
Des rühme der blutge Tyrann sich nicht,
Daß der Freund dem Freunde gebrochen die Pflicht –
Er schlachte der Opfer zweie
Und glaube an Liebe und Treue.«

Und die Sonne geht unter, da steht er am Tor
Und sieht das Kreuz schon erhöhet,
Das die Menge gaffend umstehet;
An dem Seile schon zieht man den Freund empor,
Da zertrennt er gewaltig den dichten Chor:
»Mich, Henker!« ruft er, »erwürget!
Da bin ich, für den er gebürget!«

Und Erstaunen ergreifet das Volk umher,
In den Armen liegen sich beide
Und weinen für Schmerzen und Freude.
Da sieht man kein Auge tränenleer,
Und zum König bringt man die Wundermär;
Der fühlt ein menschliches Rühren,
Läßt schnell vor den Thron sie führen.
Und blicket sie lange verwundert an;
Drauf spricht er: »Es ist euch gelungen,
Ihr habt das Herz mir bezwungen,
Und die Treue, sie ist doch kein leerer Wahn –
So nehmet auch mich zum Genossen an.
Ich sei, gewährt mir die Bitte,
In eurem Bunde der Dritte.«

Was Schiller über die »ästhetische Erziehung« theoretisch entwickelt hatte, setzte er in dieser Ballade literarisch um: Das vorbildliche Verhalten der beiden Freunde verändert

sogar einen Tyrannen – und mit ihm, so hoffte Schiller, die Leser.
Auch in seinem letzten vollendeten Werk, dem Schauspiel *Wilhelm Tell*, geht es um Tyrannei und Freiheit, um Recht und Unrecht. Trotz des philosophischen Kerns versprach Schiller dem Theaterdirektor Iffland »ein rechtes Stück für das ganze Publikum«. Der *Tell* wurde wirklich zu einem Volksstück, das bis heute sehr beliebt ist. Und selbst wer nur wenig mit Literatur im Sinn hat, kennt zumindest die berühmte Apfelschussszene.
Das Stück handelt vom Freiheitskampf der Schweizer, die zu Beginn des 14. Jahrhunderts noch zum Deutschen Reich gehörten. Es beginnt mit der Beschreibung eines friedlichen, ländlichen Idylls: grüne Matten, Dörfer und Höfe in hellem Sonnenschein, harmonisches Geläut der Kuhglocken, ein Fischerknabe singt in seinem Kahn. In diese fast paradiesische Welt, in der noch die »uralt fromme Sitte der Väter« gilt, bricht die Politik in Gestalt der habsburgischen Landvögte ein, die das Volk tyrannisieren. Als sie es immer schlimmer treiben, treffen sich Vertreter der drei Urkantone Schwyz, Uri und Unterwalden auf dem Rütli und beraten, was sie tun sollen.

Stauffacher:
[...]
– Wir haben diesen Boden uns erschaffen
Durch unsrer Hände Fleiß, den alten Wald,
Der sonst der Bären wilde Wohnung war,
Zu einem Sitz für Menschen umgewandelt;
Die Brut des Drachen haben wir getötet,
Der aus den Sümpfen giftgeschwollen stieg;
Die Nebeldecke haben wir zerrissen,

Die ewig grau um diese Wildnis hing,
Den harten Fels gesprengt, über den Abgrund
Dem Wandersmann den sichern Steg geleitet;
Unser ist durch tausendjährigen Besitz
Der Boden – und der fremde Herrenknecht
Soll kommen dürfen und uns Ketten schmieden
Und Schmach antun auf unsrer eignen Erde?
Ist keine Hilfe gegen solchen Drang?
(Eine große Bewegung unter den Landleuten.)
Nein, eine Grenze hat Tyrannenmacht:
Wenn der Gedrückte nirgends Recht kann finden,
Wenn unerträglich wird die Last – greift er
Hinauf getrosten Mutes in den Himmel
Und holt herunter seine ewgen Rechte,
Die droben hangen unveräußerlich
Und unzerbrechlich wie die Sterne selbst.
Der alte Urstand der Natur kehrt wieder,
Wo Mensch dem Menschen gegenübersteht;
Zum letzten Mittel, wenn kein andres mehr
Verfangen will, ist ihm das Schwert gegeben.
Der Güter höchstes dürfen wir verteidgen,
Gegen Gewalt – wir stehn vor unser Land,
Wir stehn vor unsre Weiber, unsre Kinder!

Alle *(an ihre Schwerter schlagend)*:
Wir stehn vor unsre Weiber, unsre Kinder!

Schiller verweist hier auf die Natur- und Menschenrechte, über die kein Herrscher verfügen könne. Tue er es doch, hätten die Menschen das Recht zum Widerstand. Heute klingt das selbstverständlich, aber vor 200 Jahren waren das in Deutschland ungeheure Sätze.
Der Titelheld ist mit den Plänen seiner Landsleute nicht einverstanden. Er vertraut darauf, dass der Spuk bald vorüber-

geht und die natürliche Ordnung wiederhergestellt wird. »Die schnellen Herrscher sind's, die kurz regieren«, sagt Tell zu Stauffacher, der ihn für die gemeinsame Sache gewinnen will. Und er rät: »Ein jeder lebe still bei sich daheim; / Dem Friedlichen gewährt man gern den Frieden.« Diese Worte machen deutlich, dass Tell ein naiver Naturmensch ist und überhaupt nicht in größeren Zusammenhängen und schon gar nicht politisch denkt. Er wird erst aktiv, nachdem der Landvogt Geßler ihn gezwungen hat, mit der Armbrust einen Apfel vom Kopf seines Sohnes zu schießen. Aber immer noch schließt er sich nicht den anderen an, sondern handelt getreu seinem Motto: »Der Starke ist am mächtigsten *allein.*«
Tell beschließt, den Tyrannen zu töten, und rechtfertigt die Tat in einem inneren Monolog:

Ich lebte still und harmlos, das Geschoß
War auf des Waldes Tiere nur gerichtet,
Meine Gedanken waren rein von Mord.
Du hast aus meinem Frieden mich heraus
Geschreckt, in gärend Drachengift hast du
Die Milch der frommen Denkart mir verwandelt,
Zum Ungeheuren hast du mich gewöhnt –
Wer sich des Kindes Haupt zum Ziele setzte,
Der kann auch treffen in das Herz des Feinds.

Die armen Kindlein, die unschuldigen,
Das treue Weib muß ich vor deiner Wut
Beschützen, Landvogt! – Da, als ich den Bogenstrang
Anzog, als mir die Hand erzitterte,
Als du mit grausam teufelischer Lust
Mich zwangst, aufs Haupt des Kindes anzulegen,
Als ich ohnmächtig flehend rang vor dir –

Damals gelobt ich mir in meinem Innern
Mit furchtbarm Eidschwur, den nur Gott gehört,
Daß meines nächsten Schusses erstes Ziel
Dein Herz sein sollte – Was ich mir gelobt
In jenes Augenblickes Höllenqualen,
Ist eine heilge Schuld, ich will sie zahlen.

Du bist mein Herr und meines Kaisers Vogt;
Doch nicht der Kaiser hätte sich erlaubt,
Was du – Er sandte dich in diese Lande,
Um Recht zu sprechen – strenges, denn er zürnet –,
Doch nicht, um mit der mörderischen Lust
Dich jedes Greuels straflos zu erfrechen;
Es lebt ein Gott, zu strafen und zu rächen.

Auch wenn Tells Motive persönlicher Art sind, ist seine Tat politisch bedeutsam. Sie löst den Aufstand aus, der dann schnell und ohne Blutvergießen gelingt. Berta von Bruneck verzichtet auf ihre adeligen Vorrechte und reiht sich ein in die Gemeinschaft der Freien und Gleichen. Das Stück schließt mit dem Satz des adeligen Rudenz: »Und frei erklär ich alle meine Knechte!«

Mit *Wilhelm Tell* schuf Schiller ein Jahr vor seinem Tod ein Gegenmodell zur Französischen Revolution und das Idealbild einer politischen Gemeinschaft.

Obwohl Goethe von Geburt an in viel besseren Verhältnissen lebte als Schiller und zeitlebens keine Geldsorgen hatte, blieb auch er nicht von Krisen verschont. So etwa, als er nach zehn Jahren im Weimarer Staatsdienst immer stärker darunter litt, dass die vielen täglichen Pflichten ihn viel zu sehr von seinem künstlerischen Schaffen abhielten. Einige Werke lagen unvollendet vor ihm, darunter das Schauspiel *Iphigenie auf Tauris*. 1779 wurde es zwar in einer Prosa-

fassung uraufgeführt, aber Goethe, der selbst mitspielte, war mit dem Stück nicht zufrieden. Er überarbeitete es mehrfach, ließ es wieder liegen und versuchte sich an anderen Stoffen.
Im Herbst 1786 entschloss er sich, alles stehen und liegen zu lassen und nach Süden zu reisen. »Früh drei Uhr stahl ich mich aus Karlsbad, weil man mich sonst nicht fortgelassen hätte.« Der blaue Himmel Italiens, die lichtdurchfluteten Landschaften, die vielfältige Pflanzenwelt und nicht zuletzt die Begegnung mit antiker Architektur und Kunst ließen Goethe wieder zu sich selbst finden. »Ich zähle eine wahre Wiedergeburt von dem Tag, da ich Rom betrat«, notierte er. In dieser neuen, anregenden Welt fand er auch den richtigen Ton und die passende Form für die *Iphigenie.* Hieß es etwa noch im Eingangsmonolog der Prosafassung: »Mein Verlangen steht hinüber nach dem schönen Land der Griechen, und immer möcht ich übers Meer hinüber«, so machte Goethe in Italien daraus die folgenden Verse:

Und an dem Ufer steh' ich lange Tage,
Das Land der Griechen mit der Seele suchend;
Und gegen meine Seufzer bringt die Welle
Nur dumpfe Töne brausend mir herüber.

Mit dem Blankvers in fünffüßigen Jamben ließ Goethe die Sturm-und-Drang-Zeit auch formal endgültig hinter sich und wurde zum Klassiker.
Das Werk Goethes, das keiner Epoche zuzuordnen ist und eine Sonderstellung einnimmt, ist der *Faust*. Schon als Kind hatte Goethe von der weit verbreiteten Faust-Sage gehört, die 1587 erstmals als *Historia von D. Johann Fausten* in Buchform erschienen war. Als Stürmer und Dränger

schrieb er 1772 den *Urfaust*; nach der Italienreise griff er den Plan für ein Faust-Stück wieder auf und vollendete es erst kurz vor seinem Tod im Jahr 1832. Goethes *Faust* gilt vielen bis heute als das »deutscheste« Stück Literatur. Schon im Monolog zu Beginn schreibt sich Faust Eigenschaften zu, die immer wieder als typisch deutsch bezeichnet werden:

Habe nun, ach! Philosophie,
Juristerei und Medizin,
Und leider auch Theologie
Durchaus studiert, mit heißem Bemühn.
Da steh' ich nun, ich armer Tor!
Und bin so klug als wie zuvor;
Heiße Magister, heiße Doktor gar,
Und ziehe schon an die zehen Jahr
Herauf, herab und quer und krumm
Meine Schüler an der Nase herum –
Und sehe, daß wir nichts wissen können!
Das will mir schier das Herz verbrennen.

Zwar bin ich gescheiter als alle die Laffen,
Doktoren, Magister, Schreiber und Pfaffen;
Mich plagen keine Skrupel noch Zweifel,
Fürchte mich weder vor Hölle noch Teufel –
Dafür ist mir auch alle Freud' entrissen,
Bilde mir nicht ein, was Rechts zu wissen,
Bilde mir nicht ein, ich könnte was lehren,
Die Menschen zu bessern und zu bekehren.
Auch hab' ich weder Gut noch Geld,
Noch Ehr' und Herrlichkeit der Welt.
Es möchte kein Hund so länger leben!
Drum hab' ich mich der Magie ergeben,
Ob mir durch Geistes Kraft und Mund
Nicht manch Geheimnis würde kund;

Daß ich nicht mehr mit saurem Schweiß
Zu sagen brauche, was ich nicht weiß;
Daß ich erkenne, was die Welt
Im Innersten zusammenhält.

Um Erkenntnis über die Welt zu gewinnen, ist Faust jedes Mittel recht, sogar ein Pakt mit dem Teufel Mephisto, der ihm seine Dienste anbietet und Fausts Sehnsüchte durch alle möglichen Genüsse befriedigen will – wenn Faust ihm als Gegenleistung seine Seele verschreibt. Unter folgender Bedingung ist Faust einverstanden:

Werd' ich zum Augenblicke sagen:
Verweile doch, du bist so schön!
Dann magst du mich in Fesseln schlagen,
Dann will ich gern zugrunde gehn!

Trotz vieler Versuche Mephistos, Faust in Situationen zu führen, die ihm sinnliche Genüsse bieten, kann er Faust bis zum Ende des ersten Teils der Tragödie nicht für sich gewinnen. Denn Faust geht es nicht um diese Genüsse als solche, für ihn sind sie nur eine letzte Möglichkeit, doch noch zu erfassen, »was die Welt im Innersten zusammenhält«. Im ersten Teil ist Faust noch ganz Sturm-und-Drang-Charakter, der nach grenzenloser Selbstverwirklichung strebt, die ihn den Göttern gleichmacht. Zum Schluss des zweiten Teils der Tragödie, nach vielen, vielen Erfahrungen, sagt Goethe durch seinen Faust:

Ja! diesem Sinne bin ich ganz ergeben,
Das ist der Weisheit letzter Schluß:
Nur der verdient sich Freiheit wie das Leben,

Der täglich sie erobern muß.
Und so verbringt, umrungen von Gefahr,
Hier Kindheit, Mann und Greis sein tüchtig Jahr.
Solch ein Gewimmel möcht' ich sehn,
Auf freiem Grund mit freiem Volke stehn.
Zum Augenblicke dürft' ich sagen:
Verweile doch, du bist so schön!
Es kann die Spur von meinen Erdentagen
Nicht in Äonen untergehn. –
Im Vorgefühl von solchem hohen Glück
Genieß' ich jetzt den höchsten Augenblick.

Nun scheint Mephisto doch noch gewonnen zu haben. Aber er freut sich zu früh. Noch ist der Augenblick nicht da, bei dem Faust verweilen möchte. Aber Faust hat begriffen, dass der Sinn des menschlichen Lebens nicht darin besteht, zu »erkennen, was die Welt im Innersten zusammenhält«. Vielmehr soll jeder Mensch nach Kräften mitwirken, dass alle Menschen »auf freiem Grund mit freiem Volke stehn«.
Wie Friedrich Schiller im *Wilhelm Tell* fordert also auch Goethe in seinem *Faust* am Ende seines Lebens die Menschen noch einmal dazu auf, für Freiheit und Gerechtigkeit einzutreten.

Leiden an der Welt

Betrachtet man die literarischen Werke, die um 1800 entstanden, wird deutlich, wie unbefriedigend die Einteilung in Epochen ist. Mit Goethe und Schiller dominierte noch die »Klassik«, während sich manche Dichterkollegen von ihr distanzierten und »Romantik« auf ihre Fahne schrieben. Wieder andere suchten ihren Weg zwischen Klassik und Romantik. Zu ihnen gehörte Jean Paul, der mit seinen humorvollen Erzählungen und Romanen zu Lebzeiten großen Erfolg hatte, genau wie Johann Peter Hebel mit seinen *Alemannischen Gedichten* und Kalendergeschichten wie *Kannitverstan* und *Unverhofftes Wiedersehen*.
Anders war es bei Friedrich Hölderlin (1770 – 1843) und Heinrich von Kleist (1777 – 1811). Ihre Werke wurden von ihren Zeitgenossen nicht angenommen. Beide litten an der Welt und fanden ein tragisches Ende.

Friedrich Hölderlin

Hölderlin war erst zwei Jahre alt, als er seinen Vater verlor, und neun, als sein Stiefvater starb. Nach dem Wunsch seiner Mutter sollte er Pfarrer werden und trat 1788 als Theologiestudent ins Tübinger Stift ein, das wie die Hohe Karlsschule unter strenger Aufsicht des württembergischen Herzogs Karl Eugen stand. Dort fand Hölderlin Freunde, mit denen er sich für die Ideen der Französischen Revolution begeisterte. 1792 schrieb er an seine Schwester: »Bete für die Franzosen, die Verfechter der menschlichen Rechte.«

In dieser Zeit begann Hölderlin auch, Gedichte und Lieder zu schreiben. Dabei orientierte er sich am antiken Griechenland, weil dort nach seiner idealisierten Vorstellung Mensch und Natur noch eine Einheit bildeten. Er träumte von einem neuen Zeitalter des Humanismus, in dem die Menschen mit sich selbst, mit anderen und mit allen Geschöpfen in Harmonie leben. Dass er diese Harmonie im wirklichen Leben nicht finden konnte, machte Hölderlin krank. Er wurde schwermütig und endete in geistiger Verwirrung.

Die zweite Hälfte seines Lebens verbrachte er bei der Familie des Tübinger Schreinermeisters Zimmer, von der er fast vierzig Jahre lang liebevoll gepflegt wurde. Eines der schönsten Gedichte Hölderlins trägt bezeichnenderweise den Titel *Hälfte des Lebens*:

Mit gelben Birnen hänget
Und voll mit wilden Rosen
Das Land in den See,
Ihr holden Schwäne,
Und trunken von Küssen
Tunkt ihr das Haupt
Ins heilignüchterne Wasser.

Weh mir, wo nehm ich, wenn
Es Winter ist, die Blumen, und wo
Den Sonnenschein,
Und Schatten der Erde?
Die Mauern stehn
Sprachlos und kalt, im Winde
Klirren die Fahnen.

Heinrich von Kleist stammte aus einer alten preußischen Offiziersfamilie, und so war es keine Frage, dass auch Heinrich schon als 15-Jähriger in die Armee eintrat und Offizier wurde. Aber mit 22 wollte er nicht mehr länger in einer Armee dienen, deren Regeln und Drill ihm wie »ein lebendiges Monument der Tyrannei« erschienen. 1799 begann er, in Frankfurt an der Oder zu studieren, und wurde dabei von den Schriften des Philosophen Immanuel Kant regelrecht erschüttert. Kleist verstand Kant so, dass die Erkenntnisfähigkeit des menschlichen Verstandes nicht ausreicht, um die Wahrheit zu finden. »Wir können nicht entscheiden, ob das, was wir Wahrheit nennen, wahrhaft Wahrheit ist oder ob es uns nur so scheint«, schrieb Kleist in einem Brief an seine Braut Wilhelmine von Zenge. Diese Erkenntnis warf ihn zum zweiten Mal aus der »Lebensbahn«. Er brach sein Studium ab, reiste durch Europa, fand jedoch nirgendwo Ruhe und schrieb an seine Braut: »Ich habe keinen anderen Wunsch, als bald zu sterben.«

Heinrich von Kleist

Kleist dachte an Selbstmord, verwarf den Gedanken wieder, begann zu schreiben und schuf in wenigen Jahren einige bedeutende Werke, darunter das bis heute beliebte Lustspiel *Der zerbrochene Krug*, in dem er sein Lebensthema »Schein und Wahrheit« auf heitere Weise behandelte. Der kraftvolle, ja pralle Realismus, mit dem Kleist den Dorfrichter Adam und seine bäuerliche Umgebung gestaltete, war etwas Neues auf dem Theater.

Das Stück handelt von dem verschlagenen Dorfrichter Adam, der nachts in das Zimmer eines Mädchens steigt und

von deren Bräutigam verjagt wird, wobei er zwar unerkannt bleibt, aber einen Krug zerbricht. Die Mutter des Mädchens beschuldigt jedoch den Bräutigam und klagt ihn vor dem Richter Adam an. Der wahre Schuldige wird nun zum Richter über einen Unschuldigen. Mit allen Mitteln versucht er, die Wahrheit nicht ans Licht zu bringen, sondern sie zu verschleiern. Doch während der Gerichtsverhandlung verfängt er sich in seinen Ausreden und Lügen, so dass er sich am Ende selbst entlarvt. Auf dem Theater kommt die Wahrheit also ans Licht. Aber im Leben?
Auch als Erzähler fand Kleist einen eigenen, neuen Ton, den man sachlich, kühl, ja fast protokollarisch nennen könnte.

An den Ufern der Havel lebte um die Mitte des sechzehnten Jahrhunderts ein Roßhändler Namens Michael Kohlhaas, Sohn eines Schulmeisters, einer der rechtschaffensten zugleich und entsetzlichsten Menschen seiner Zeit. – Dieser außerordentliche Mann würde bis in sein dreißigstes Jahr für das Muster eines guten Staatsbürgers haben gelten können. Er besaß in einem Dorfe, das noch von ihm den Namen führt, einen Meierhof, auf welchem er sich durch sein Gewerbe ruhig ernährte; die Kinder, die ihm sein Weib schenkte, erzog er in der Furcht Gottes zur Arbeitsamkeit und Treue; nicht einer war unter seinen Nachbarn, der sich nicht seiner Wohltätigkeit oder seiner Gerechtigkeit erfreut hätte; kurz, die Welt würde sein Andenken haben segnen müssen, wenn er in einer Tugend nicht ausgeschweift hätte. Das Rechtsgefühl aber machte ihn zum Räuber und Mörder.

So beginnt Kleists wohl bekannteste Novelle *Michael Kohlhaas*. Mit wenigen Sätzen zeichnet Kleist das Bild der Hauptfigur und weist schon auf die »unerhörte Begebenheit« hin, die sich in einer Novelle erklärtermaßen ereignen muss. Dem Rosshändler Kohlhaas werden von einem sächsischen Junker unter fadenscheinigen Vorwänden zwei prächtige Rappen abgenommen. Als er sie später wiederhaben will, sind die Pferde völlig abgemagert. Kohlhaas klagt gegen den Junker, aber der hat einflussreiche Verwandte, die verhindern, dass der Rosshändler zu seinem Recht kommt. Da nimmt Kohlhaas, dessen Rechtsgefühl »einer Goldwaage« gleicht, die Sache selbst in die Hand. Er verkauft seinen Besitz, sammelt eine Schar Männer um sich, brennt die Burg des Junkers nieder und verwüstet anschließend das Land.

Um sich Recht zu verschaffen, verletzt Kohlhaas also selbst das Recht. Dafür wird er am Ende der Novelle zur Rechenschaft gezogen und zum Tod verurteilt. Auch der Junker wird bestraft und muss die Pferde in dem Zustand zurückgeben, in dem er sie übernommen hat. Damit ist die Rechtsordnung wiederhergestellt und Kohlhaas nimmt den Tod als gerechte Strafe an.

Wie Kohlhaas mochte auch Kleist keine Kompromisse, sondern wollte das Ganze, das Absolute und war also insofern ein »faustischer« Charakter. Sein Ziel war, »der größte Dichter der Nation« zu werden. Gleichzeitig zweifelte er aber an seinen Fähigkeiten. Er fühlte sich immer mehr zerrissen und wie vom Unglück verfolgt. In dieser Gemütsverfassung lernte er die krebskranke Henriette Vogel kennen. Auch sie hatte den Mut und die Kraft zum Weiterleben verloren. Am 20. November 1811 speisten sie zusammen in einem Berliner Gasthaus und gingen dann zum nahe gelegenen Wannsee. Dort schoss Kleist seine Freundin ins Herz und sich selbst in den Kopf. Im Abschiedsbrief an seine Schwester hatte er geschrieben: »Die Wahrheit ist, daß mir auf Erden nicht zu helfen war.«

Kleists Werk geriet wie das von Hölderlin bald in Vergessenheit und wurde erst im 20. Jahrhundert wiederentdeckt und entsprechend gewürdigt.

Und wenn sie nicht gestorben sind ...

Wenn nicht mehr Zahlen und Figuren
Sind Schlüssel aller Kreaturen,
Wenn die, so singen oder küssen,
Mehr als die Tiefgelehrten wissen,
Wenn sich die Welt ins freie Leben
Und in die Welt wird zurück begeben,
Wenn dann sich wieder Licht und Schatten
Zu echter Klarheit werden gatten
Und man in Märchen und Gedichten
Erkennt die ew'gen Weltgeschichten,
Dann fliegt vor einem geheimen Wort
Das ganze verkehrte Wesen fort.

Der junge Friedrich von Hardenberg (1772 – 1801), der sich als Dichter Novalis nannte, formulierte hier, was als eine Art Leitgedicht für die Romantik verstanden werden kann. Es sind nicht die Gelehrten mit all ihrem Wissen, die die Welt und das Leben wirklich begreifen; das können nur phantasiebegabte und fühlende Künstler. Sie sehen und verstehen mehr als normale Sterbliche, weil sie göttliche Eingebungen empfangen.

Novalis

Die Romantiker waren also Seelenverwandte der Stürmer und Dränger. Wie jene lehnten sie den »kalten Rationalismus« der Aufklärung ab, plädierten für Gefühl und Phantasie und beschäftigten sich auch mit dem Unendlichen und Unbewussten, mit Mystischem und Träumen. »Die romantische Poesie ist eine progressi-

ve Universalpoesie«, schrieb Friedrich Schlegel, einer der führenden Theoretiker der Romantik. Sie wolle nicht nur die getrennten poetischen Gattungen wieder vereinigen, sondern alle Kunstarten. Mehr noch, sie wolle »das Leben und die Gesellschaft poetisch machen«.
Diese neue »romantische Kultur« wurde in einigen von Frauen geführten Kreisen, die man auch Salons nannte, intensiv gelebt. Bei Caroline Schlegel-Schelling in Jena, bei Rahel Varnhagen und Henriette Herz in Berlin trafen sich Literaten, Philosophen, Musiker und Künstler zum Dialog. Es ist sicher kein Zufall, dass Frauen gerade in der Romantik zum ersten Mal eine aktive und anerkannte Rolle im geistigen und literarischen Leben spielten. Ihnen wurde ja schon immer eine größere Gefühlsfähigkeit als den Männern zugeschrieben. Aber diese Frauen wollten sich nicht länger in der Gefühlsecke halten lassen, sie kämpften für ein neues Frauenbild. Frauen sollten wie Männer das Recht haben, ihr Leben aktiv und selbstbestimmt zu gestalten. Einige taten das auch, ohne dabei auf ihren Ruf und geltende Konventionen zu achten. So zum Beispiel die Witwe Caroline, die sich nach dem Tod ihres Mannes nicht still zurückzog und darauf wartete, ihm ins Grab zu folgen. Nein, sie trat leidenschaftlich für republikanische und demokratische Ideen ein, hatte ein Verhältnis mit einem französischen Offizier und einen unehelichen Sohn. 1796 heiratete sie den Litera-

Bettina von Arnim und Caroline Schlegel-Schelling

turwissenschaftler August Wilhelm Schlegel, von dem sie sich nach ein paar Jahren wieder scheiden ließ, um den 12 Jahre jüngeren Philosophen Schelling zu heiraten. Caroline Schlegel-Schelling zeigte sich schon damals erstaunlich emanzipiert.
Ähnliches gilt für die 1785 geborene Bettina von Arnim, die mehr politische Rechte für die Bürgerinnen und Bürger forderte, die zunehmende Verarmung des Volkes anklagte und Reformvorschläge machte. Sie recherchierte für ein *Armenbuch* und zeigte Verständnis für den Aufstand der Not leidenden schlesischen Weber im Juni 1844.
Auch wenn die literarischen Arbeiten der »romantischen Frauen« heute weitgehend vergessen sind, darf ihr Einfluss auf das geistige Klima der Zeit nicht unterschätzt werden.

Jacob und Wilhelm Grimm

In dieser Zeit machten auch die Brüder Jacob und Wilhelm Grimm erstmals von sich reden, als sie 1819 die erste *Deutsche Grammatik* vorlegten und 1838 das *Deutsche Wörterbuch* begannen, von dem der 32. Band erst 1961 erschien. Weltberühmt wurden die Brüder Grimm aber durch ihre Sammlung deutscher *Kinder- und Hausmärchen*, die nach der Lutherbibel das meistgedruckte deutsche Buch geworden sind und die bis heute fast jedes Kind kennt.
Als »letzten Romantiker« hat man Joseph von Eichendorff (1788 – 1857) bezeichnet. Und tatsächlich schließt sich mit ihm der Kreis, der mit Novalis begonnen hat. Das wird

deutlich, wenn man einige ihrer Verse vergleicht. Novalis schrieb:

Wenn nicht mehr Zahlen und Figuren
Sind Schlüssel aller Kreaturen […]
Dann fliegt vor einem geheimen Wort
Das ganze verkehrte Wesen fort.

Bei Eichendorff klingt es ganz ähnlich:

Schläft ein Lied in allen Dingen,
Die da träumen fort und fort,
Und die Welt hebt an zu singen,
Triffst du nur das Zauberwort.

Joseph von Eichendorff

Beide gingen also davon aus, dass es geheime, magische Wörter mit Zauberkräften gibt, die den Menschen tiefer sehen lassen, als das mit dem Verstand möglich ist. Darin drückt sich der romantische Glaube aus, dass einzig und allein die Poesie mit ihren »Zauberworten« die Welt zum Besseren verändern und den Menschen zu seinem wahren Wesen führen kann. Solche Zauberworte waren für Eichendorff Waldesrauschen, Mondschein, Sternennacht, Abendglocken, Morgenrot, rauschende Bäche, duftende Blumen, klingende Lieder.

Mondnacht

Es war, als hätt der Himmel
Die Erde still geküßt,
Daß sie im Blütenschimmer
Von ihm nun träumen müßt.

Die Luft ging durch die Felder,
Die Ähren wogten sacht,
Es rauschten leis die Wälder,
So sternklar war die Nacht.

Und meine Seele spannte
Weit ihre Flügel aus,
Flog durch die stillen Lande,
Als flöge sie nach Haus.

In solche Gedichte ist sicher das Rauschen der Wälder seiner oberschlesischen Heimat ebenso mit eingeflossen wie die abendliche Stille, die Eichendorff als Junge noch erlebt hat. Sein Gottvertrauen, das in vielen seiner Gedichte ebenfalls zum Ausdruck kommt, hat er auch nicht verloren, als seine scheinbar so geordnete Welt aus den Fugen geriet und die lauten, harten Töne der heraufziehenden Industrialisierung das Rauschen der Wälder und Bäche mehr und mehr übertönten.

Abschied

O Täler weit, o Höhen,
O schöner, grüner Wald,
Du meiner Lust und Wehen
Andächtger Aufenthalt!
Da draußen, stets betrogen,

Saust die geschäftge Welt,
Schlag noch einmal den Bogen
Um mich, du grünes Zelt!

Die klare Sprache, die schlichte Bilderwelt und Musikalität der Eichendorff'schen Gedichte regten schon zeitgenössische Komponisten wie Felix Mendelssohn-Bartholdy, Robert Schumann und Johannes Brahms zu Vertonungen an. Mit ihren Melodien sind viele Gedichte Eichendorffs zu Volksliedern geworden, die bis heute gesungen werden. Eichendorff baute selbst in seine Erzählungen immer wieder Gedichte und Lieder ein. So auch in das bekannteste Werk der Romantik *Aus dem Leben eines Taugenichts*, das mit folgenden Worten beginnt:

Das Rad an meines Vaters Mühle brauste und rauschte schon wieder recht lustig, der Schnee tröpfelte emsig vom Dache, die Sperlinge zwitscherten und tummelten sich dazwischen; ich saß auf der Türschwelle und wischte mir den Schlaf aus den Augen; mir war so recht wohl in dem warmen Sonnenscheine. Da trat der Vater aus dem Hause; er hatte schon seit Tagesanbruch in der Mühle rumort und die Schlafmütze schief auf dem Kopfe, der sagte zu mir: »Du Taugenichts! da sonnst du dich schon wieder und dehnst und reckst dir die Knochen müde und läßt mich alle Arbeit allein tun. Ich kann dich hier nicht länger füttern. Der Frühling ist vor der Tür, geh auch einmal hinaus in die Welt und erwirb dir selber dein Brot.« – »Nun«, sagte ich, »wenn ich ein Taugenichts bin, so ist's gut, so will ich in die Welt gehn und mein Glück machen.« Und eigentlich war mir das recht lieb, denn es war mir kurz vorher selber eingefallen, auf Reisen zu gehn, da ich die Goldammer, welche im Herbst und Winter immer betrübt an unserm Fenster sang: »Bauer, miet' mich, Bauer, miet' mich!« nun in der schönen Frühlingszeit wieder ganz stolz und lustig vom Baume rufen hörte: »Bauer, behalt deinen Dienst!« – Ich ging also in das Haus hinein und holte meine Geige, die ich recht artig spielte, von der Wand, mein Vater gab mir noch einige Groschen Geld mit auf den Weg, und so schlenderte ich durch das lange Dorf hinaus. Ich hatte recht meine heimliche Freude, als ich da alle meine alten Bekannten und Kameraden rechts und links, wie gestern und vorgestern und immerdar, zur Arbeit hinausziehen, graben und pflügen sah, während ich so in die freie Welt hinausstrich. Ich rief den armen Leuten nach allen Seiten recht stolz und zufrieden Adjes zu, aber es kümmerte sich eben keiner sehr darum. Mir war es wie ein ewiger Sonntag im Gemüte. Und als ich endlich ins freie Feld hinauskam, da nahm ich meine liebe Geige vor und spielte und sang, auf der Landstraße fortgehend:

»Wem Gott will rechte Gunst erweisen,
Den schickt er in die weite Welt,
Dem will er seine Wunder weisen
In Berg und Wald und Strom und Feld.

Die Trägen, die zu Hause liegen,
Erquicket nicht das Morgenrot,
Sie wissen nur vom Kinderwiegen,
Von Sorgen, Last und Not um Brot.

Die Bächlein von den Bergen springen,
Die Lerchen schwirren hoch vor Lust,
Was sollt' ich nicht mit ihnen singen
Aus voller Kehl' und frischer Brust?

Den lieben Gott laß ich nur walten;
Der Bächlein, Lerchen, Wald und Feld
Und Erd und Himmel will erhalten,
Hat auch mein Sach' aufs best' bestellt!«

Während er singend und Geige spielend in die Welt hinauswandert, hält neben ihm eine Kutsche mit zwei vornehmen Damen. Sie laden ihn ein, mit nach Wien zu fahren, was er gern annimmt. So kommt er auf ein Schloss, wo er als Gärtnergehilfe und Zolleinnehmer arbeitet. Bald verliebt er sich in die jüngere der beiden Damen, jedoch weiß er, dass »die liebe, gnädige Frau«, wie er sie nach Art der Minnesänger nennt, für ihn »zu hoch und schön« ist. Als er ein Lied für sie singt, spürt er die spöttischen Blicke und Bemerkungen der feinen Herrschaften.

Mir aber standen die Tränen in den Augen schon, wie ich noch sang, das Herz wollte mir zerspringen von dem Liede vor Scham und vor Schmerz, es fiel mir jetzt auf einmal alles recht ein, wie sie so schön ist und ich so arm bin und verspottet und verlassen von der Welt – und als sie alle hinter den Büschen verschwunden waren, da konnt' ich mich nicht länger halten, ich warf mich in das Gras hin und weinte bitterlich.

Um dieser unglücklichen Liebe zu entfliehen und weil ihn auch die Reiselust wieder packt, macht sich der Taugenichts an einem schönen Sonntag auf den Weg nach Italien. Dort erlebt er einige verwirrende Abenteuer und kehrt nach einiger Zeit, von Heimweh und der Sehnsucht nach seiner »lieben, gnädigen Frau« getrieben, auf das Schloss zurück. Nun lässt Eichendorff seinen Taugenichts vollends zu einem Hans im Glück werden und die Geschichte eine märchenhafte Wendung nehmen. Die »liebe, gnädige Frau« ist nämlich gar keine Gräfin, sondern die Nichte eines Pförtners. Und da sie den Taugenichts ebenfalls liebt, steht einer Heirat nichts mehr im Weg.

Sie lächelte still und sah mich recht vergnügt und freundlich an, und von fern schallte immerfort die Musik herüber, und Leuchtkugeln flogen vom Schloß durch die stille Nacht über die Gärten, und die Donau rauschte dazwischen herauf – und es war alles, alles gut!

Gilt Joseph von Eichendorff als »letzter Romantiker«, so könnte man E.T.A. Hoffmann (1776 – 1822) den »schwarzen Romantiker« nennen. Er schrieb über sich selbst: »Die Wochentage bin ich Jurist und höchstens etwas Musiker. Sonntags am Tage wird gezeichnet und abends bin ich ein sehr witziger Autor bis in die späte Nacht.«
Der vielseitig begabte Hoffmann führte also ein Doppelleben und seine Werke zeugen in unterschiedlicher Weise von dem Konflikt zwischen dem pflichtbewussten Beamten und dem phantasievollen Künstler. Deshalb ist es auch kein Wunder, dass Doppelgänger und gespaltene Typen in seinen Texten eine wichtige Rolle spielen. So etwa in *Die Elixiere des Teufels*, der Geschichte einer verfluchten Familie. Der letzte Spross des Geschlechts, der Mönch Medardus, trinkt von einem teuflischen Trank, der ihn erotisiert und völlig enthemmt. Während er schauerliche Verbrechen begeht, verfolgt ihn sein zweites Ich als Doppelgänger und stellt sich ihm warnend in den Weg.
Hoffmann war also nicht immer »ein sehr witziger Autor«; im Gegenteil, in einigen Erzählungen lässt er das Unheimliche so in den Alltag einbrechen, dass die Leser bis heute schaudern. Das gilt auch für *Das Fräulein von Scuderi*, eine meisterhafte Kriminalgeschichte. Der Pariser Goldschmied Cardillac ist auf seinem Gebiet ein Genie. Seine Schmuckstücke sind wahre Kunstwerke – und jedes einzelne ist ein Teil von seinem Selbst. Um leben zu können, muss er sie

verkaufen. Aber ohne sie kann er nicht leben. Eine dämonische Macht zwingt ihn dazu, die Käufer zu ermorden und seine Schmuckstücke wieder an sich zu bringen. »Dies getan, fühlte ich eine Ruhe, eine Zufriedenheit in meiner Seele, wie sonst niemals. Das Gespenst war verschwunden, die Stimme des Satans schwieg. Nun wußte ich, was mein böser Stern wollte, ich mußt ihm nachgeben oder untergehen!«

E.T.A. Hoffmann

Mit seinen Erzählungen über die dunklen Seiten des Lebens wurde E.T.A. Hoffmann zu einem wichtigen Wegbereiter der Literatur des 19. und 20. Jahrhunderts. Ob die Franzosen Hugo, Balzac oder Baudelaire, ob der Engländer Lord Byron, die Russen Gogol und Dostojewski und nicht zuletzt auch der Amerikaner Edgar Allan Poe, sie alle wurden von Hoffmanns »schwarzer Romantik« beeinflusst.

Ganz neue Töne

Die Französische Revolution von 1789 hatte die Menschenrechte verkündet und Freiheit, Gleichheit, Brüderlichkeit proklamiert. Doch als Napoleon Bonaparte in Frankreich die Macht übernahm, blieb davon nicht viel übrig. Er besiegte mit seiner Armee Deutschland und ordnete es nach seinen Vorstellungen neu. Es dauerte aber nicht lange, bis kritische Stimmen gegen die französische Vorherrschaft laut wurden. Diese Stimmen wuchsen zu einer breiten antifranzösischen Stimmung an, die schließlich in einen Krieg führte. Im Oktober 1813 wurde die französische Armee in der »Völkerschlacht« bei Leipzig geschlagen.
Nach der Befreiung von dem »französischen Unterdrücker« träumten viele Menschen von einem deutschen Reich, in dem das Volk mitbestimmen und mitregieren sollte. Aber das verhinderten die Fürsten mit obrigkeitsstaatlicher Willkür, Bespitzelung und Zensur. Deswegen zogen sich die enttäuschten Menschen von der Politik zurück, und wer es sich leisten konnte, widmete sich dem privaten Glück, das vor allem in einem behaglichen Familienleben bestand. Dazu gehörten Hausmusik und Spiele ebenso wie gemeinsame Spaziergänge und Ausflüge. Die revolutionären Gedanken überließ man wieder ganz den Dichtern, Denkern und Künstlern. Doch von denen besangen viele weiterhin die Natur und vertrauten darauf, dass Gott schon alles richtig machen werde.

Gebet

Herr! schicke, was du willt
Ein Liebes oder Leides;
Ich bin vergnügt, daß beides
Aus deinen Händen quillt.
Wollest mit Freuden
Und wollest mit Leiden
Mich nicht überschütten!
Doch in der Mitten
Liegt holdes Bescheiden.

Die »holde Bescheidenheit«, die Eduard Mörike (1804 – 1875) hier besingt, war nicht jedermanns Sache. Ganz andere Töne schlug zum Beispiel Heinrich Heine (1797 – 1856) in *Deutschland. Ein Wintermärchen* an:

Ein neues Lied, ein besseres Lied,
O Freunde, will ich euch dichten!
Wir wollen hier auf Erden schon
Das Himmelreich errichten.

Wir wollen auf Erden glücklich sein
Und wollen nicht mehr darben;
Verschlemmen soll nicht der faule Bauch,
Was fleißige Hände erwarben.

Es wächst hienieden Brot genug
Für alle Menschenkinder,
Auch Rosen und Myrten, Schönheit und Lust,
Und Zuckererbsen nicht minder.

Ja, Zuckererbsen für jedermann,
Sobald die Schoten platzen!
Den Himmel überlassen wir
Den Engeln und den Spatzen.

Heinrich Heine

Das waren die wirklich neuen Töne eines Dichters, der noch als Romantiker begonnen hatte. Aber deutlicher als viele sah er eine neue, ganz anders geartete Zeit anbrechen. »Die höchsten Blüten des deutschen Geistes sind die Philosophie und das Lied. Diese Blütezeit ist vorbei. Es gehörte dazu die idyllische Ruhe; Deutschland ist jetzt fortgerissen in die Bewegung, der Gedanke ist nicht mehr uneigennützig, in seine abstrakte Welt stürzt die rohe Tatsache, der Dampfwagen der Eisenbahn gibt uns eine zittrige Gemütserschütterung, wobei kein Lied aufgehen kann, der Kohlendampf verscheucht die Sangesvögel und der Gasbeleuchtungsgestank verdirbt die duftige Mondnacht.« Wer in dieser neuen Welt noch romantische Lieder schreibe, sei kein Dichter, sondern ein Scharlatan. In seinem Gedicht *Wahrhaftig* distanziert Heine sich literarisch von solchen Texten – auch von seinen eigenen.

Wenn der Frühling kommt mit dem Sonnenschein,
dann knospen und blühen die Blümlein auf;
wenn der Mond beginnt seinen Strahlenlauf,
dann schwimmen die Sternlein hinterdrein;
wenn der Sänger zwei süße Äuglein sieht,
dann quellen ihm Lieder aus tiefem Gemüt;
doch Lieder und Sterne und Blümelein
und Äuglein und Mondglanz und Sonnenschein,
wie sehr das Zeug auch gefällt,
so macht's noch lang' keine Welt.

Auch in seinen *Reisebildern* ging Heine völlig neue Wege. Er gaukelte dem Leser kein beschaulich-idyllisches Bild von Land und Leuten vor, wie das bei Reiseberichten bis dahin üblich gewesen war. Er kritisierte soziale Missstände, griff veraltete Strukturen in Staat und Gesellschaft an, spottete über Provinzialität und Spießbürgertum. So schrieb er über die Stadt Göttingen in *Die Harzreise* unter anderem:

Die Stadt Göttingen, berühmt durch ihre Würste und Universität, gehört dem Könige von Hannover, und enthält 999 Feuerstellen, diverse Kirchen, eine Entbindungsanstalt, eine Sternwarte, einen Karzer, eine Bibliothek und einen Ratskeller, wo das Bier sehr gut ist. [...] Die Stadt selbst ist schön, und gefällt einem am besten, wenn man sie mit dem Rücken ansieht. [...]
Im allgemeinen werden die Bewohner Göttingens eingeteilt in Studenten, Professoren, Philister und Vieh; welche vier Stände doch nichts weniger als streng geschieden sind. Der Viehstand ist der bedeutendste. Die Namen aller Studenten und aller ordentlichen und unordentlichen Professoren hier herzuzählen, wäre zu weitläuftig; auch sind mir in diesem Augenblick nicht alle Studentennamen im Gedächtnis, und unter den Professoren sind manche, die noch gar keinen Namen haben. Die Zahl der Göttinger Philister muß sehr groß sein, wie Sand, oder besser gesagt, wie Kot am Meer; wahrlich, wenn ich sie des Morgens, mit ihren schmutzigen Gesichtern und weißen Rechnungen, vor den Pforten des akademischen Gerichtes aufgepflanzt sah, so mochte ich kaum begreifen, wie Gott nur so viel Lumpenpack erschaffen konnte.

Dass solche Texte den Mächtigen in Deutschland nicht passten, versteht sich von selbst. Deswegen wurden Heines Bücher erst zensiert und später verboten. Weil ihn das politische Klima und die geistige Enge in Deutschland zunehmend bedrückten, emigrierte er 1831 nach Paris, wo ein Jahr

zuvor die Julirevolution stattgefunden hatte. Von dort aus kämpfte er mit seinen Schriften gegen die reaktionären Zustände in seiner Heimat. Deswegen beschimpften ihn die Konservativen als »franzosenfreundlichen Nestbeschmutzer«. Die Verunglimpfung und Ächtung Heines setzten sich fort bis zu den Nationalsozialisten, die ihn einen »Literaturjuden« nannten und seine Bücher öffentlich verbrannten. Doch auf sein populärstes Gedicht *Loreley* wollten nicht einmal die Nazis in ihren Lesebüchern verzichten – allerdings verschwiegen sie den Namen des Autors und behaupteten, es sei von einem »unbekannten Dichter«.
Eduard Mörike und Heinrich Heine stehen für das breite Spektrum der literarischen Ausdrucksformen zwischen 1815 und 1850. Wie schwer diese Vielfalt mit einer Epochenbezeichnung zu fassen ist, zeigen schon die sehr unterschiedlichen Begriffe, mit denen es versucht wird: Biedermeier, Junges Deutschland, Vormärz.

Annette von Droste-Hülshoff

Kann man Eduard Mörike noch das Biedermeier-Etikett aufkleben, so ist das bei Annette von Droste-Hülshoff (1797–1848) mehr als fragwürdig. Die bedeutendste Dichterin des 19. Jahrhunderts schrieb zwar immer wieder von Kornfeldern und Wiesen, vom Heideland und den Moorgebieten ihrer westfälischen Heimat. Das tat sie aber nicht in beschaulicher, romantischer Stimmungslyrik, sondern in sachlich-präzisen Naturbildern. So heißt es beispielsweise in dem Gedicht *Hirtenfeuer*:

Unke kauert im Sumpf,
Igel im Grase duckt,
in dem modernden Stumpf
schlafend die Kröte zuckt,
und am sandigen Hange
rollt sich fester die Schlange.

Auch in ihrem bekanntesten erzählerischen Werk, der Novelle *Die Judenbuche – Ein Sittengemälde aus dem gebirgichten Westfalen*, beschreibt sie das Land und die Leute sehr realistisch.

In diesen Umgebungen ward Friedrich Mergel geboren, in einem Hause, das durch die stolze Zugabe eines Rauchfangs und minder kleiner Glasscheiben die Ansprüche seines Erbauers sowie durch seine gegenwärtige Verkommenheit die kümmerlichen Umstände des jetzigen Besitzers bezeugte. Das frühere Geländer um Hof und Garten war einem vernachlässigten Zaune gewichen, das Dach schadhaft, fremdes Vieh weidete auf den Triften, fremdes Korn wuchs auf dem Acker zunächst am Hofe, und der Garten enthielt außer ein paar holzigten Rosenstöcken aus besserer Zeit mehr Unkraut als Kraut. Freilich hatten Unglücksfälle manches hiervon herbeigeführt; doch war auch viel Unordnung und böse Wirtschaft im Spiel. Friedrichs Vater, der alte Hermann Mergel, war in seinem Junggesellenstande ein sogenannter ordentlicher Säufer, das heißt einer, der nur an Sonn- und Festtagen in der Rinne lag und die Woche hindurch so manierlich war wie ein anderer. So war denn auch seine Bewerbung um ein recht hübsches und wohlhabendes Mädchen ihm nicht erschwert. Auf der Hochzeit gings lustig zu. Mergel war gar nicht zu arg betrunken, und die Eltern der Braut gingen abends vergnügt heim; aber am nächsten Sonntag sah man die junge Frau schreiend und blutrünstig durchs Dorf zu den Ihrigen rennen, alle ihre guten Kleider und neues Hausgerät im Stich lassend. Das war freilich ein großer Skandal und Ärger für Mergel, der allerdings Trostes bedurfte. So war denn auch am Nachmittag keine Scheibe an seinem Hause mehr ganz, und man sah ihn noch bis spät in die Nacht vor der Türschwelle liegen, einen abgebrochenen Flaschenhals von Zeit zu Zeit zum Munde führend und sich Gesicht und Hände jämmerlich zerschneidend. Die junge Frau blieb bei ihren Eltern, wo sie bald verkümmerte und starb. Ob nun den Mergel Reue quälte oder Scham, genug, er schien der Trostmittel immer bedürftiger und fing bald an, den gänzlich verkommenen Subjekten zugezählt zu werden.

Die Droste weist auf die Bedeutung des Milieus für die Entwicklung eines Menschen hin und zeigt sich damit als sehr moderne Autorin. Seine schlechten Voraussetzungen und die Umstände machen Friedrich Mergel zum Mörder. Er kann entkommen, kehrt aber nach 28 Jahren an den Tatort, die Judenbuche, zurück, wo er erhängt aufgefunden wird. Mit ihrer Sprache und ihrer beeindruckenden Milieuschilderung lässt die Droste das Biedermeier weit hinter sich und macht einen großen Schritt in Richtung der künftigen Literaturepochen Realismus und Naturalismus.
Das gilt noch viel mehr für den Wegbereiter des modernen Dramas: Georg Büchner (1813 – 1837). Obwohl er nur 23 Jahre alt wurde und nur ein schmales Werk hinterließ, gehört er zu den Großen der deutschen Literatur – der angesehenste Literaturpreis unseres Landes trägt seit 1951 seinen Namen.

Georg Büchner

Büchner war der Sohn eines Arztes, zu dessen Aufgaben die medizinische Versorgung der Armen in Darmstadt gehörte. Dadurch erfuhr er schon als Schüler viel vom Elend der einfachen Leute. Als 20-jähriger Medizinstudent schrieb er seinen Eltern aus Straßburg, dass nur durch eine gewaltsame Veränderung der Verhältnisse in Deutschland die sozialen und politischen Probleme gelöst werden könnten. Ein Jahr später gründete er in Gießen und Darmstadt eine »Gesellschaft für Menschenrechte« und entwarf die Flugschrift *Der Hessische Landbote*, die nachts in Oberhessen verteilt wurde.

FRIEDE DEN HÜTTEN! KRIEG DEN PALÄSTEN!

Im Jahre 1834 siehet es aus, als würde die Bibel Lügen gestraft. Es sieht aus, als hätte Gott die Bauern und Handwerker am fünften Tage und die Fürsten und Vornehmen am sechsten gemacht, und als hätte der Herr zu diesen gesagt: »Herrschet über alles Getier, das auf Erden kriecht«, und hätte die Bauern und Bürger zum Gewürm gezählt.

Das Leben der *Vornehmen* ist ein langer Sonntag; sie wohnen in schönen Häusern, sie tragen zierliche Kleider, sie haben feiste Gesichter und reden eine eigne Sprache; das Volk aber liegt vor ihnen wie Dünger auf dem Acker. Der Bauer geht hinter dem Pflug, der *Vornehme* aber geht hinter ihm und dem Pflug und treibt ihn mit den Ochsen am Pflug, er nimmt das Korn und läßt ihm die Stoppeln. Das Leben des Bauern ist ein langer Werktag; Fremde verzehren seine Äcker vor seinen Augen, sein Leib ist eine Schwiele, sein Schweiß ist das Salz auf dem Tische des *Vornehmen.*

Die Obrigkeit verbot die »hochverräterische, revolutionäre Flugschrift« und konnte Büchners Mitstreiter auf Grund einer Denunziation ins Zuchthaus stecken. Büchner selbst floh ins französische Straßburg, wo er eineinhalb Jahre später sein Studium erfolgreich abschloss. Im Oktober 1836 zog er nach Zürich, arbeitete an der dortigen Universität und schrieb an seinem Drama *Woyzeck*, das er nicht vollenden konnte; er starb im Februar 1837 an einer Typhuserkrankung.

Büchners *Woyzeck* liegt die Geschichte des Gelegenheitsarbeiters Johann Christian Woyzeck zugrunde, der im Jahre 1821 seine Geliebte aus Eifersucht erstach. Obwohl seine Zurechnungsfähigkeit umstritten war, wurde er 1824 hingerichtet.

Im Stück ist Woyzeck ein einfacher Soldat, der mit seiner Geliebten Marie ein Kind hat. Die beiden bedeuten ihm alles, er sorgt für sie so gut er kann und lässt sich sogar für medizinische Experimente benutzen, um etwas Geld zu verdienen. Gleich zu Beginn gibt es folgenden Dialog zwischen dem Hauptmann und Woyzeck:

Woyzeck: Wir arme Leut – Sehn Sie, Herr Hauptmann: Geld, Geld! Wer kein Geld hat – Da setz einmal eines seinesgleichen auf die Moral in die Welt! Man hat auch sein Fleisch und Blut. Unsereins ist doch einmal unselig in der und der andern Welt. Ich glaub, wenn wir in Himmel kämen, so müßten wir donnern helfen.

Hauptmann: Woyzeck, Er hat keine Tugend! Er ist kein tugendhafter Mensch! Fleisch und Blut? Wenn ich am Fenster lieg, wenns geregnet hat, und den weißen Strümpfen so nachseh, wie sie über die Gassen springen – verdammt, Woyzeck, da kommt mir die Liebe! Ich hab auch Fleisch und Blut. Aber, Woyzeck, die Tugend! die Tugend! Wie sollte ich dann die Zeit herumbringen? Ich sag mir immer: du bist ein tugendhafter Mensch, ein guter Mensch, ein guter Mensch.

Woyzeck: Ja, Herr Hauptmann, die Tugend, – ich habs noch nit so raus. Sehn Sie: wir gemeine Leut, das hat keine Tugend, es kommt einem nur so die Natur; aber wenn ich ein Herr wär und hätt ein' Hut und eine Uhr und eine Anglaise und könnt vornehm reden, ich wollt schon tugendhaft sein. Es muß was

Schönes sein um die Tugend, Herr Hauptmann. Aber ich bin ein armer Kerl!

Hauptmann: Gut, Woyzeck. Du bist ein guter Mensch, ein guter Mensch. Aber du denkst zuviel, das zehrt; du siehst immer so verhetzt aus.

Eines Tages kommt ein Tambourmajor in die Stadt, verdreht Marie den Kopf, verführt sie, macht sich über Woyzeck lustig und verprügelt ihn auch noch. Woyzeck sieht den Sinn seines Lebens zerstört. Seine ohnehin schon brüchige Welt bricht nun völlig zusammen. Er hört Stimmen, die ihm zurufen: »Stich, stich, stich, tot, tot!« Von den Stimmen und den Umständen getrieben, kauft er ein Messer und ersticht Marie.

Woyzeck ist inhaltlich, formal und sprachlich ein völlig neues Drama. Erstmals gehört der »Held« dem untersten Stand an und ist ein Opfer der Ständegesellschaft. Er wird von den Angehörigen der höheren Stände gedemütigt und gequält, kommt jedoch nicht auf die Idee, sich zu wehren, weil er die gesellschaftlichen Verhältnisse als gegeben hinnimmt. Als er sich schließlich doch auflehnt, tut er das nicht nach »oben«, sondern gegen Marie, die seinem eigenen Stand angehört.

Durch die realistische Darstellung Woyzecks und seines sozialen Umfeldes wurde Büchner zum Begründer des sozialen Dramas. Die nur lose verbundenen Einzelszenen zeigen keine fortlaufende Handlung, sondern sind Momentaufnahmen und Charakterbilder. Mit dieser offenen Dramenform wies Büchner weit über seine Zeit hinaus. So ist zum Beispiel Bertolt Brechts episches Theater ohne den Woyzeck nicht zu denken.

Bitte nicht zu realistisch!

Nach 1830 wurde in Deutschland im Frühjahr 1848 zum zweiten Mal eine Revolution versucht. Vor allem das reiche und einflussreiche Besitz- und Bildungsbürgertum wollte endlich auch politisch mitbestimmen. Beim ersten Ansturm im März gaben die Fürsten dem Volkswillen nach, versprachen Reformen und bewilligten allgemeine Wahlen zu einer verfassunggebenden Nationalversammlung. Die trat dann im Mai in der Frankfurter Paulskirche zusammen, arbeitete eine Verfassung aus und bot dem preußischen König die Kaiserkrone des neuen deutschen Reiches an. Doch Friedrich Wilhelm IV. wollte keine Krone aus den Händen der Volksvertreter, an der noch der »Ludergeruch der Revolution« hafte, wie er es nannte. »Gegen Demokraten helfen nur Soldaten!«, soll er gesagt haben. Bald marschierten die Soldaten auch wieder und erstickten alle Bestrebungen, »Einigkeit und Recht und Freiheit für das deutsche Vaterland« zu erlangen. Die Fürsten, die ihren Herrschaftsanspruch noch immer »von Gottes Gnaden« herleiteten, regierten weiter. Aber sie konnten die Entwicklungen in Richtung Demokratie und nationale Einheit nur noch verzögern, nicht mehr verhindern.
Die von England ausgehende Industrialisierung veränderte das Leben der Menschen so grundlegend, dass man auch von einer »industriellen Revolution« spricht. Zahlreiche Erfindungen und Entdeckungen führten zu einem stürmischen Wirtschaftsaufschwung. Handwerksbetriebe und Manufakturen (kleine Fabriken) wurden von Großbetrieben verdrängt, weil die mit besseren Maschinen und weniger Menschen billiger produzieren konnten. Gleichzeitig

zogen viele Landarbeiter in die schnell wachsenden Städte und bildeten dort mit den verarmten Handwerkern das so genannte Proletariat, das nichts besaß als seine Arbeitskraft. Das Bürgertum profitierte am meisten von dieser Entwicklung und versuchte, seine fehlende politische Bedeutung durch Bildung und wirtschaftliche Macht auszugleichen. Man war optimistisch und glaubte an den Fortschritt, der zum Segen für die Menschheit werden sollte. Dieser Glaube hatte allerdings nichts mit überirdischen Wesen oder Mächten zu tun, sondern beruhte auf naturwissenschaftlichen Erkenntnissen. Die Welt und die Dinge schienen nur noch dazu da, um erforscht und verwertet zu werden. Alle negativen Seiten des Fortschritts wurden verharmlost – denn der Zweck heiligte die Mittel.
Dieses neue Denken beeinflusste natürlich auch die Dichter. »Was unsere Zeit nach allen Seiten hin charakterisiert, das ist ihr Realismus«, schrieb Theodor Fontane und brachte damit die Sache auf den Begriff. Realistisch hatte auch die Literatur zu sein – allerdings nicht zu realistisch! »Vor allen Dingen verstehen wir nicht darunter das nächste Wiedergeben alltäglichen Lebens, am wenigsten seines Elends und seiner Schattenseiten.« Aufgabe der Literatur sei es, so Fontane weiter, die Wirklichkeit poetisch zu gestalten, um dem Leser sozusagen eine gereinigte, bessere Welt vorzuführen. In einfacher, gut verständlicher Sprache sollte von Menschen erzählt werden, die ihr Leben meistern, weil sie optimistisch sind und auch dann nicht aufgeben, wenn das Schicksal es nicht so gut mit ihnen meint. Ein wichtiges Mittel dieses »poetischen Realismus« war der Humor.
Der Schweizer Gottfried Keller (1819 – 1890), der sich von 1848 bis 1854 in Heidelberg und Berlin aufhielt, hat das

»Programm« des poetischen Realismus in seinen Texten wie kaum ein anderer verwirklicht. Und bis heute steht seine Novelle *Kleider machen Leute* in vielen Deutschlehrplänen. Der Anfang der Geschichte ähnelt dem von Eichendorffs *Taugenichts*, und doch machen schon die ersten Sätze den großen Unterschied zu dem romantischen Text deutlich.

Gottfried Keller

An einem unfreundlichen Novembertage wanderte ein armes Schneiderlein auf der Landstraße nach Goldach, einer kleinen reichen Stadt, die nur wenige Stunden von Seldwyla entfernt ist. Der Schneider trug in seiner Tasche nichts als einen Fingerhut, welchen er, in Ermangelung irgendeiner Münze, unablässig zwischen den Fingern drehte, wenn er der Kälte wegen die Hände in die Hosen steckte, und die Finger schmerzten ihn ordentlich von diesem Drehen und Reiben. Denn er hatte wegen des Falliments irgendeines Seldwyler Schneidermeisters seinen Arbeitslohn mit der Arbeit zugleich verlieren und auswandern müssen. Er hatte noch nichts gefrühstückt als einige Schneeflocken, die ihm in den Mund geflogen, und er sah noch weniger ab, wo das geringste Mittagbrot herwachsen sollte. Das Fechten fiel ihm äußerst schwer, ja, schien ihm gänzlich unmöglich, weil er über seinem schwarzen Sonntagskleide, welches sein einziges war, einen weiten dunkelgrauen Radmantel trug, mit schwarzem Samt ausgeschlagen, der seinem Träger ein edles und romantisches Aussehen verlieh, zumal dessen lange schwarze Haare und Schnurrbärtchen sorgfältig gepflegt waren und er sich blasser, aber regelmäßiger Gesichtszüge erfreute.

Ein herrschaftlicher Kutscher lässt den armen Schneidergesellen Wenzel Strapinski in der leeren Kutsche mitfahren. Und im reichen Städtchen Goldach wird er wegen seines feinen Aussehens für einen Grafen gehalten. Die Goldacher hofieren ihn, weil sie sich davon später Gewinn versprechen. Anfangs versucht Wenzel noch halbherzig, das Missverständnis aufzuklären. Aber als er sich in Nettchen, die Tochter des Amtsrats verliebt, spielt er die Rolle des Grafen weiter, aus Angst, Nettchen würde ein armes Schneiderlein niemals heiraten.
Bei der Verlobungsfeier jedoch erkennt und entlarvt ihn der Seldwyler Schneidermeister. Verhöhnt und verspottet verlässt Wenzel den Saal und verschwindet »gesenkten Hauptes in der Dunkelheit des Waldes«. Dort löst sich das Gefühl einer ungeheuren Schande langsam auf »in eine Art Bewußtsein erlittenen Unrechtes; er hatte sich bis zu seinem glorreichen Einzug in die verwünschte Stadt nie ein Vergehen zuschulden kommen lassen; soweit seine Gedanken in die Kindheit zurückreichten, war ihm nicht erinnerlich, daß er je wegen einer Lüge oder einer Täuschung gestraft oder gescholten worden wäre, und nun war er ein Betrüger geworden dadurch, daß die Torheit der Welt ihn in einem unbewachten und sozusagen wehrlosen Augenblicke überfallen und ihn zu ihrem Spielgesellen gemacht hatte. Er kam sich wie ein Kind vor, welches ein anderes boshaftes Kind überredet hat, von einem Altare den Kelch zu stehlen; er haßte und verachtete sich jetzt, aber er weinte auch über sich und seine unglückliche Verirrung.«
Wenzel legt sich neben der Landstraße in den Schnee und schläft ein. Nettchen findet ihn gerade noch rechtzeitig und rettet ihn vor dem Erfrieren. Sie stellt ihn zur Rede und Wenzel erzählt ihr die ganze Geschichte.

Nach kurzem Schweigen, in dem ihre Brust sich zu heben begann, stand Nettchen auf, ging um den Tisch herum, dem Manne entgegen und fiel ihm um den Hals mit den Worten: »Ich will dich nicht verlassen! Du bist mein, und ich will mit dir gehen trotz aller Welt!«
So feierte sie erst jetzt ihre rechte Verlobung aus tief entschlossener Seele, indem sie in süßer Leidenschaft ein Schicksal auf sich nahm und Treue hielt.
Doch sie war keineswegs so blöde, dieses Schicksal nicht selbst ein wenig lenken zu wollen; vielmehr faßte sie rasch und keck neue Entschlüsse.

Das Bürgermädchen setzt sich über Geltungssucht und Standesdünkel hinweg. Dank ihrer Klugheit und Tatkraft kann sie »das Schicksal« in die gewünschte Bahn lenken. Und Wenzel lernt von ihr die bürgerlichen Tugenden: »Er war bescheiden, sparsam und fleißig in seinem Geschäfte, welchem er einen großen Umfang zu geben verstand. [...] Dabei wurde er rund und stattlich und sah beinah gar nicht mehr träumerisch aus; er wurde von Jahr zu Jahr geschäftserfahrener und gewandter und wußte in Verbindung mit seinem bald versöhnten Schwiegervater, dem Amtsrat, so gute Spekulationen zu machen, daß sich sein Vermögen verdoppelte und er nach zehn oder zwölf Jahren mit ebenso vielen Kindern, die inzwischen Nettchen, die Strapinska, geboren hatte, und mit letzter nach Goldach übersiedelte und daselbst ein angesehener Mann ward.«
Wie der Taugenichts findet Wenzel Strapinski also sein Glück. Aber während es jenem auf märchenhafte Weise in den Schoß fällt, muss dieser es sich durch bittere Erfahrungen und großen Fleiß verdienen.
Als bedeutendster deutscher Schriftsteller dieser Epoche gilt Theodor Fontane (1819 – 1898). Schon als junger Apo-

Theodor Fontane

theker schrieb er Balladen, im Alter von 30 Jahren gab er seinen Beruf auf und wurde Journalist. Zeitweise war er als Kriegsberichterstatter unterwegs, ging 1855 für drei Jahre als Auslandskorrespondent ins damals fortschrittlichere England und wurde später Theaterkritiker der angesehenen »Vossischen Zeitung«. Im Verlauf der 30-jährigen journalistischen Arbeit wurde Fontane zu einem scharfsichtigen Beobachter der preußischen Gesellschaft. Er kannte und durchschaute die Moralvorstellungen und Konventionen des Adels und des Großbürgertums ebenso wie die der kleinen Leute. Als er mit fast 60 Jahren begann seine Romane zu schreiben, tat er das mit der Absicht, »nicht zu erschüttern, kaum stark zu fesseln«, sondern ein »anregendes, heiteres, wenn's sein kann geistvolles Geplauder« zu liefern. In diesem Plauderton schilderte er die gesellschaftlichen Verhältnisse seiner Zeit – wobei er das oft elende Leben der kleinen Leute ausklammerte.

Fontanes berühmtestem Roman *Effi Briest* liegt eine wahre Begebenheit zugrunde. Effi ist ein 17-jähriges, noch sehr kindliches Mädchen, das wohl behütet auf dem Landgut Hohen-Cremmen aufwächst. Eines Tages kommt Baron von Innstetten, ein Jugendfreund von Effis Mutter, zu Besuch. Zwei Tage später erscheint er ein weiteres Mal auf Hohen-Cremmen. Effi spielt gerade im Garten und ihre Mutter ruft sie herein.

Frau von Briest war in sichtlicher Verlegenheit; Effi aber schmiegte sich liebkosend an sie und sagte: »Verzeih, ich will mich nun eilen; du weißt, ich kann auch rasch sein, und in fünf Minuten ist Aschenputtel in eine Prinzessin verwandelt. So lange kann er warten oder mit dem Papa plaudern.«
Und der Mama zunickend, wollte sie leichten Fußes eine kleine eiserne Stiege hinauf, die aus dem Saal in den Oberstock hinaufführte. Frau von Briest aber, die unter Umständen auch unkonventionell sein konnte, hielt plötzlich die schon forteilende Effi zurück, warf einen Blick auf das jugendlich reizende Geschöpf, das, noch erhitzt von der Aufregung des Spiels, wie ein Bild frischesten Lebens vor ihr stand, und sagte beinahe vertraulich: »Es ist am Ende das beste, du bleibst, wie du bist. Ja, bleibe so. Du siehst gerade sehr gut aus. Und wenn es auch nicht wäre, du siehst so unvorbereitet aus, so gar nicht zurechtgemacht, und darauf kommt es in diesem Augenblicke an. Ich muß dir nämlich sagen, meine süße Effi ...« und sie nahm ihres Kindes beide Hände ... »ich muß dir nämlich sagen ...«
»Aber Mama, was hast du nur? Mir wird ja ganz angst und bange.«
»... Ich muß dir nämlich sagen, Effi, dass Baron Innstetten eben um deine Hand angehalten hat.«
»Um meine Hand angehalten? Und im Ernst?«
»Es ist keine Sache, um einen Scherz daraus zu machen. Du hast ihn vorgestern gesehen, und ich glaube, er hat dir auch gut gefallen. Er ist freilich älter als du, was alles in allem ein Glück ist, dazu ein Mann von Charakter, von Stellung und guten Sitten, und wenn du nicht nein sagst, was ich mir von meiner klugen Effi kaum denken kann, so stehst du mit zwanzig Jahren da, wo andere mit vierzig stehen. Du wirst deine Mama weit überholen.«

Effi heiratet den 20 Jahre älteren Innstetten und geht mit ihm nach Kessin in Hinterpommern, wo er Landrat ist. Die Ehe verläuft, wie Innstettens ganzes Leben, sehr korrekt.

Innstetten ist zwar rücksichtsvoll und gut zu Effi, aber ein guter Liebhaber ist er nicht. Effi fühlt sich vernachlässigt und um die ersehnten »Huldigungen, Anregungen, kleinen Aufmerksamkeiten« betrogen. Da lernt sie den Bezirkskommandanten und etwas leichtsinnigen »Damenmann« Major von Crampas kennen, der sie mit eben solchen kleinen Aufmerksamkeiten umschwärmt. Effi stürzt sich in das Liebesabenteuer mit ihm, wird aber bald von ihrem schlechten Gewissen geplagt und ist froh, dass dieses Verhältnis durch die Beförderung und Versetzung ihres Mannes nach Berlin zu Ende geht.
Sechs Jahre später erfährt Innstetten durch ein Bündel Briefe zufällig von dem Verhältnis. »Ohne jedes Gefühl von Haß oder gar von Durst nach Rache« fordert er Crampas zum Duell.

»Weil es trotzdem sein muß. Ich hab mir's hin und her überlegt. Man ist nicht bloß ein einzelner Mensch, man gehört einem Ganzen an, und auf das Ganze haben wir beständig Rücksicht zu nehmen, wir sind durchaus abhängig von ihm. Ging' es, in Einsamkeit zu leben, so könnt' ich es gehen lassen; ich trüge dann die mir aufgepackte Last, das rechte Glück wäre hin, aber es müssen so viele leben ohne dies ›rechte Glück‹, und ich würde es auch müssen und – auch können. Man braucht nicht glücklich zu sein, am allerwenigsten hat man einen Anspruch darauf, und den, der einem das Glück genommen hat, den braucht man nicht notwendig aus der Welt zu schaffen. Man kann ihn, wenn man weltabgewandt weiterexistieren will, auch laufen lassen. Aber im Zusammenleben mit den Menschen hat sich ein Etwas ausgebildet, das nun mal da ist und nach dessen Paragraphen wir uns gewöhnt haben, alles zu beurteilen, die andern und uns selbst. Und dagegen zu verstoßen geht nicht, die Gesellschaft verachtet uns, und zuletzt tun wir es selbst und können es nicht aushalten und jagen uns die Kugel durch den Kopf. Verzeihen Sie, daß ich Ihnen solche Vorlesung halte, die schließlich doch nur sagt, was sich jeder selber hundertmal gesagt hat. Aber freilich, wer kann was Neues sagen! Also noch einmal, nicht von Haß oder dergleichen, und um eines Glückes willen, das mir genommen wurde, mag ich nicht Blut an den Händen haben; aber jenes, wenn Sie wollen, uns tyrannisierende Gesellschafts-Etwas, das fragt nicht nach Charme und nicht nach Liebe und nicht nach Verjährung. Ich habe keine Wahl. Ich muß.«

Nach dem Duell, bei dem Crampas stirbt, leitet Innstetten die Scheidung ein, ohne sich mit seiner Frau noch einmal auszusprechen. Ihre gemeinsame Tochter Anni wird ihm zugesprochen und er hält sie von Effi fern.
Die Rückkehr ins Elternhaus verwehrt ihr die strenge Mutter. Gesellschaftlich geächtet und zunehmend entkräftet, lebt Effi in einer bescheidenen Berliner Wohnung. Sie ist ein Opfer des »tyrannischen Gesellschafts-Etwas« und geht langsam zugrunde, aber die überkommene Ordnung mit ihren Moralvorstellungen und Konventionen bleibt gewahrt. Auf die Frage, wer schuld sei an Effis Tod, antwortet der alte Herr von Briest: »Das ist ein zu weites Feld.«

Kunst = Natur – X

Die Art und Weise, wie die poetischen Realisten Wirklichkeit gestalteten, wurde von einer neuen Schriftstellergeneration abgelehnt. Ihr ging es nicht wie Fontane darum, dem Leser eine gereinigte, bessere Welt vorzuführen, sondern die ganze Wirklichkeit naturgetreu zu beschreiben, auch und gerade die Schattenseiten und das Elend. Dieser »Naturalismus« entstand auf dem Hintergrund der Wissenschaftsgläubigkeit jener Zeit zuerst in Frankreich (Zola), Russland (Tolstoj und Dostojewski) und Skandinavien (Strindberg und Ibsen) und kam von dort nach Deutschland. Der Franzose Emile Zola forderte von der Literatur, sie solle historische, soziologische, genetische und psychologische Gesetzmäßigkeiten ergründen und mit naturwissenschaftlicher Genauigkeit darstellen, so dass sie für jedermann jederzeit überprüfbar seien.

In Deutschland brachte Arno Holz diese Auffassung auf eine mathematische Formel: Kunst = Natur – X. Danach galt ein Kunstwerk als umso gelungener, je kleiner der Faktor X war.

Gerhart Hauptmann

Die alles überragende Gestalt des deutschen Naturalismus wurde der Schlesier Gerhart Hauptmann (1862 – 1946), der 1912 den Literaturnobelpreis erhielt. Sein Drama *Die Weber* ist die literarische Aufarbeitung des Weberaufstandes von 1844 in Schlesien. An diesem Aufstand war Hauptmanns Großvater aktiv beteiligt gewesen; so hörte schon der kleine Junge vom Elend und der Not der schlesischen Weber. Als Gerhart Hauptmann 1890 Studienreisen in die Weberdörfer unternahm, musste er feststellen, dass sich dort nicht viel geändert hatte. In dem Drama drückt der Fabrikant Dreißiger den Lohn der Heimweber immer tiefer, so dass in vielen Familien nicht mehr alle ernährt werden können. Eines Tages sitzen ein paar Weber in der Hütte der Familie Baumert zusammen. Ihnen ist ein Hund zugelaufen und nun brutzelt zum ersten Mal seit zwei Jahren wieder Fleisch in der Pfanne. Der alte Baumert kann's kaum erwarten, aber das Fleisch bekommt ihm nicht, er muss sich übergeben.

Mutter Baumert, *außer sich, weinend:* Nu da seht ihrsch, nu da seht ihrsch! Da bleibt's 'n noch ni amal. Da wird a das ganze bissel scheenes Essen wieder von sich geben.

Der alte Baumert *kommt wieder, weinend vor Ingrimm:* Nee, nee! mit mir is bald gar alle. Mich hab'n se bald aso weit! Hat man sich amal was Guttes dergattert, da kann ma's nich amal mehr bei sich behalt'n. *Er sitzt weinend nieder auf die Ofenbank.*

Jäger, *in plötzlicher Aufwallung, fanatisch:* Und dad'rbei gibt's Leute, Gerichtsschulzen, gar nicht weit von hier, Schmärwampen, die de's ganze Jahr nischt weiter zu tun haben, wie unsern Herrgott im Himmel a Tag abstehl'n. Die woll'n behaupten, de Weber kennten gutt und gerne auskommen, se wär'n bloß zu faul.

Ansorge: Das sein gar keene Mensche. Das sein Unmensche, sein das.

Dann liest ein Weber das Lied vom Blutgericht vor:

Hier im Ort ist ein Gericht,
noch schlimmer als die Vehmen,
wo man nicht erst ein Urteil spricht,
das Leben schnell zu nehmen.

Hier wird der Mensch langsam gequält,
hier ist die Folterkammer,
hier werden Seufzer viel gezählt
als Zeugen von dem Jammer.

Der alte Baumert *hat, von den Worten des Liedes gepackt und im Tiefsten aufgerüttelt, mehrmals nur mühsam der Versuchung widerstanden, Jäger zu unterbrechen. Nun geht alles mit ihm durch; stammelnd, unter Lachen und Weinen, zu seiner Frau:* Hier ist die Folterkammer. Der das geschrieben, Mutter, der sagt die Wahrheet. Das kannst du bezeugen… Wie heeßt's? Hier werden Seufzer… wie? hie wern se viel gezählt…
Jäger: Als Zeugen von dem Jammer.
[...]
Ansorge: Nu ja ja! nu nee nee! da tutt schonn nischt helfen.
Jäger *liest:*

Nun denke man sich diese Not
und Elend dieser Armen,
zu Haus oft keinen Bissen Brot,
ist das nicht zum Erbarmen?

Erbarmen, ha! ein schön Gefühl,
euch Kannibalen fremde,
ein jedes kennt schon euer Ziel,
's ist der Armen Haut und Hemde.

Der alte Baumert *springt auf, hingerissen zu deliranter Raserei:* Haut und Hemde. All's richtig, 's is der Armut Haut und

Hemde. Hier steh ich, Robert Baumert, Webermeister von Kaschbach. Wer kann vortreten und sag'n ... Ich bin ein braver Mensch gewest mei lebelang, und nu seht mich an! Was hab ich davon? Wie seh ich aus? Was hab'n se aus mir gemacht? Hier wird der Mensch langsam gequält. Er reckt seine Arme hin. Dahier, greift amal an, Haut und Knochen. Ihr Schurken all, ihr Satansbrut!! *Er bricht weinend vor verzweifeltem Ingrimm auf einem Stuhl zusammen.*

Ansorge *schleudert den Korb in die Ecke, erhebt sich, am ganze Leibe zitternd vor Wut, stammelt hervor:* Und das muß anderscher wern, sprech ich, jetzt uf der Stelle. Mir leiden's nimehr! Mir leiden's nimehr, mag kommen, was will.

Es kommt zum Aufruhr, bei dem die Dreißiger-Villa gestürmt und geplündert wird. Anschließend ziehen die aufständischen Weber weiter, um die mechanischen Webstühle in den Fabriken zu zerstören. »Das ganze Elend kommt von a Fabriken«, ruft einer.
Der alte Hilse lehnt den Aufstand als gottloses Tun ab und ermahnt seinen Sohn: »Laß du dich nicht in solche Sachen ein, Gottlieb. Da hat d'r Teifel seine Hand im Spiele. Das ist Satansarbeit, was die machen.« Gottliebs Frau Luise widerspricht ihrem Schwiegervater wütend.

Luise, *maßlos:* Mit Euren bigotten Räden ... dad'rvon da is mir o noch nich amal a Kind satt gewor'n. Derwegen han se gelegen alle vier in Unflat und Lumpen. [...] Ich hab mehr geflennt wie Oden geholt von dem Augenblicke an, wo aso a Hiperle uf de Welt kam, bis d'r Tod und erbarmte sich drieber. Ihr habt Euch an Teiwel gescheert. Ihr habt gebet't und gesungen, und ich hab m'r de Fieße bluttich gelaufen nach een'n eenzichten Neegl Puttermilch. Wie viel hundert Nächte hab ich mir a Kopp zerklaubt, wie ich ock und ich kennte so a

Kindl ock a eenzich Mal um a Kirchhoof rumpaschen. Was hat so a Kindl verbrochen, hä? und muß so a elendigliches Ende nehmen – und drieben bei Dittrichen, da wern se in Wein gebad't und mit Milch gewaschen. Nee, nee: wenn's hie losgeht – ni zehn Pferde soll'n mich zurickehalten. Und das sag ich: stirmen se Dittrichens Gebäude – ich bin de erschte, und Gnade jeden, der mich will abhalten. Ich hab's satt, aso viel steht feste.

Der alte Hilse: Du bist gar verfallen; dir is ni zu helfen.

Luise, *in Raserei:* Euch is nich zu helfen. Lappärsche seid ihr. Haderlumpe, aber keene Manne. Gattschliche zum Anspucken. Weechquarkgesichter, die vor Kinderklappern Reißaus nehmen. Kerle, die dreimal »scheen Dank« sagen fer 'ne Tracht Priegel. Euch haben se de Adern so leer gemacht, daß ihr ni amal mehr kennt rot anlaufen im Gesichte. An Peitsche sollt ma nehmen und euch a Krien einbläun in eure faule Knochen. *Schnell ab.*

Inzwischen rücken schon die Truppen an und schlagen den Aufstand blutig nieder. Dabei wird ausgerechnet der alte Hilse von einer Kugel tödlich getroffen.

Die öffentliche Aufführung des Dramas wurde vom Berliner Polizeipräsidenten »wegen der geradezu zum Klassenhaß aufreizenden Schilderung« zuerst verboten. Hauptmann klagte gegen das Verbot und erklärte, *Die Weber* seien nicht als sozialdemokratisches Revolutionsdrama, sondern als dichterischer Aufruf an das Mitleid der Besitzenden zu verstehen. Schließlich hob das preußische Oberverwaltungsgericht das Verbot auf. Die Aufführung im Deutschen Theater in Berlin löste einen Skandal aus und Kaiser Wilhelm II. kündigte seine Loge wegen der »demoralisierenden Tendenz« des Stückes.

Wenn das Stück diese Tendenz hatte, dann lag es an den

gesellschaftlichen Zuständen um 1844, nicht an Gerhart Hauptmann. Denn als Naturalist musste er diese Zustände möglichst genau nachzeichnen, von der Schilderung der Arbeitsbedingungen über die Wohn- und Familienverhältnisse bis hin zu seelischen Vorgängen. Und konsequenterweise tat er das alles in der Sprache der schlesischen Weber. In diesem so genannten »Zustandsdrama« gibt es auch keine Helden wie im klassischen Drama, denn der freie Wille ist dem Menschen nach naturalistischer Auffassung durch das Milieu und die Erbanlagen weitgehend genommen. Selbst die Aufständischen sind nicht Handelnde, sondern von den Umständen Getriebene. Ihr Schicksal und ihr Verhalten sind sozial determiniert (vorherbestimmt).
Was Georg Büchner in seinem *Woyzeck* bereits angedeutet hatte – ein deterministisches Menschenbild und die genaue Darstellung eines Milieus –, wurde von Gerhart Hauptmann in seinen *Webern* fortgeführt und auf die Spitze getrieben.

Einblicke ins Unbewusste

Wien war schon seit langer Zeit ein Zentrum der Kunst und Kultur in Europa. Aber im ausgehenden 19. Jahrhundert bewegte sich in Österreich und seiner Hauptstadt nicht viel. In Staat und Gesellschaft galten die überkommenen Regeln und Konventionen aus der »guten alten k..u.k. Zeit«. Als Reaktion auf dieses erstarrte Leben entwickelte sich die »Wiener Moderne«, die in Literatur und Kunst einiges in Gang gebracht hat, was bis heute nachwirkt.
Der Wiener Arzt Sigmund Freud (1856 – 1939) suchte nach Wegen, um psychische Störungen therapeutisch behandeln zu können. Dabei entdeckte er, dass solche Störungen durch verdrängte Konflikte zwischen den unbewussten Trieben und den herrschenden Moralvorstellungen entstehen. Er ließ seine Patienten von ihren Träumen erzählen und versuchte über *Die Traumdeutung*, so der Titel seines Buches aus dem Jahr 1900, Einblicke ins »Unbewusste« zu bekommen. Mit dieser Methode wurde Freud zum Begründer der Psychoanalyse, deren Erkenntnisse später in viele literarische Werke einflossen.
Ein anderer Wiener Arzt beschäftigte sich zur gleichen Zeit mit ganz ähnlichen Fragen wie Sigmund Freud: Arthur Schnitzler (1862 – 1931). Er wurde jedoch nicht als Arzt berühmt, sondern als Schriftsteller. Sowohl in seinen Dramen wie in seinen Erzählungen entwarf er eine »Topographie der Wiener Seelenverfassung um 1900«, wie ein Kritiker es formulierte. Allerdings klagte Schnitzler weder den Einzelnen noch die Gesellschaft an, er stellte lediglich Diagnosen, sah sich aber nicht in der Lage, auch Therapien vorzuschlagen. »Für unsere Zeit gibt es keine Lösungen, das steht einmal

Arthur Schnitzler

fest. Keine allgemeinen wenigstens. Eher gibt es hunderttausend verschiedene Lösungen. [...] Es kommt nur für jeden darauf an, einen inneren Weg zu finden. Dazu ist es natürlich notwendig, möglichst klar in sich zu sehen, in seine verborgensten Winkel hineinzuleuchten!«

Schnitzlers Erfahrungen als Nervenarzt, verbunden mit neuen psychologischen Erkenntnissen, ermöglichten ihm, in die verborgensten Winkel seiner Hauptpersonen hineinzuleuchten. Eine dieser Personen ist Leutnant Gustl aus der 1900 erschienenen gleichnamigen Novelle. Dieser Leutnant wird bei einem Konzert von einem Bäckermeister »dummer Bub« genannt und damit in seiner Ehre verletzt. So ein Makel, meint er, kann nur durch ein Duell beseitigt werden. Da der Bäckermeister aber »nicht von Stand« und also auch nicht »satisfaktionsfähig« ist, sieht der Leutnant keine andere Möglichkeit, als sich selbst zu erschießen. Er verbringt die Nacht im Prater und geht am Morgen in sein Stammcafé, um ein letztes Mal zu frühstücken. Dabei erfährt er von dem »Mordsglück«, dass den Bäckermeister in der Nacht der Schlag getroffen hat. »Die Hauptsach' ist: er ist tot und ich darf leben, und alles g'hört wieder meins.«

Leutnant Gustl ist das treffende Porträt eines österreichischen Offiziers der untergehenden Donaumonarchie. Um ihn in seinen persönlichen Nöten und sozialen Abhängigkeiten zu zeichnen, verwendet Schnitzler eine neuartige Erzähltechnik: Vom ersten bis zum letzten Satz werden Gustls Gedanken, Assoziationen, Sinneseindrücke und Gefühle in einem inneren Monolog wiedergegeben.

Ob die Steffi mir Blumen bringen wird? – Aber fallt ihr ja gar nicht ein! Die wird grad' hinausfahren ... Ja, wenn's noch die Adel' wär' ... Nein, die Adel'! Mir scheint, seit zwei Jahren hab' ich an die nicht mehr gedacht ... Was die für G'schichten gemacht hat, wie's aus war ... mein Lebtag hab' ich kein Frauenzimmer so weinen geseh'n ... Das war doch eigentlich das Hübscheste, was ich erlebt hab' ... So bescheiden, so anspruchslos, wie die war – die hat mich gern gehabt, da könnt' ich drauf schwören. – War doch was ganz anderes, als die Steffi ... Ich möcht' nur wissen, warum ich die aufgegeben hab' ... so eine Eselei! Zu fad ist es mir geworden, ja, das war das Ganze ... So jeden Abend mit ein und derselben ausgeh'n ... Dann hab' ich eine Angst g'habt, daß ich überhaupt nimmer loskomm' – eine solche Raunzen – Na, Gustl, hätt'st schon noch warten können – war doch die einzige, die dich gern gehabt hat ... Was sie jetzt macht? Na was wird s' machen? – Jetzt wird s' halt einen andern haben ... Freilich, das mit der Steffi ist bequemer – wenn man nur gelegentlich engagiert ist und ein anderer hat die ganzen Unannehmlichkeiten, und ich hab' nur das Vergnügen ... Ja, da kann man auch nicht verlangen, daß sie auf den Friedhof hinauskommt ... Wer ging denn überhaupt mit, wenn er nicht müßt'! – Vielleicht der Kopetzky, und dann wär' Rest! – Ist doch traurig, so gar niemanden zu haben ...

Aber so ein Unsinn! der Papa und die Mama und die Klara ... Ja, ich bin halt der Sohn, der Bruder ... aber was ist denn weiter zwischen uns? gern haben sie mich ja – aber was wissen sie denn von mir? – Daß ich meinen Dienst mach', daß ich Karten spiel' und daß ich mit Menschen herumlauf' ... aber sonst? – Daß mich manchmal selber vor mir graust, das hab' ich ihnen ja doch nicht geschrieben – na, mir scheint, ich hab's auch selber gar nicht recht gewußt – Ah was, kommst du jetzt mit solchen Sachen, Gustl? Fehlt nur noch, daß du zum Weinen anfangst ... pfui Teufel! – Ordentlich Schritt ... so! Ob man zu einem Rendezvous geht oder auf Posten oder in die Schlacht ... wer hat das nur gesagt? ... Ah ja, der Major Lederer, in der Kantin', wie man von dem

Wingleder erzählt hat, der so blaß geworden ist vor seinem ersten Duell – und gespieben hat ... Ja: ob man zu einem Rendezvous geht oder in den sichern Tod, am Gang und am G'sicht laßt sich das der richtige Offizier nicht anerkennen! – Also Gustl – der Major Lederer hat's g'sagt! ha! –

Dieser so genannte »Bewusstseinsstrom« wird an keiner Stelle von dem Erzähler unterbrochen oder kommentiert. Mit dieser neuen Technik beeinflusste Schnitzler nicht nur die deutsche, sondern auch die Weltliteratur.

Kunst ohne Zweck

Für die Literatur um die Jahrhundertwende gibt es bis heute keinen allgemein akzeptierten Epochenbegriff. Zu unterschiedlich waren die poetischen Theorien und Stile. Eines hatten sie anfangs allerdings doch gemeinsam: die Abkehr vom Naturalismus und damit von der »hässlichen« Wirklichkeit mit all ihren sozialen und politischen Problemen. Viele Dichter zogen sich in die Welt der Sprache zurück und kümmerten sich nur darum, poetische Kunstwerke zu schaffen. Die hatten keine Zwecke, sollten niemandem nützen oder dienen, sondern genügten sich selbst – sie waren Kunst um der Kunst willen. Diese Dichter versuchten, Stimmungen und persönliche Eindrücke (Impressionen) festzuhalten; dafür eignete sich die Lyrik ganz besonders, weshalb sie eine neue Blüte erlebte. Doch viele Lyriker blieben zu sehr an der Oberfläche und ihre Texte hatten trotz allen Bemühens keinen Bestand.
Auch der junge Rainer Maria Rilke (1875 – 1926) begann als impressionistischer Lyriker. Aber die Begegnung mit dem französischen Bildhauer Auguste Rodin, dessen Privatsekretär er einige Zeit war, veränderte sein »Sehen« und half ihm, seine »lyrische Oberflächlichkeit« zu überwinden. Rilke bildete die »Dinge« nicht mehr nur nach, sondern fühlte sich gleichsam in sie ein, um ihr wahres Wesen zu ergründen.

Rainer Maria Rilke

Der Panther

Im Jardin des Plantes, Paris

Sein Blick ist vom Vorübergehn der Stäbe
so müd geworden, daß er nichts mehr hält.
Ihm ist, als ob es tausend Stäbe gäbe
und hinter tausend Stäben keine Welt.
Der weiche Gang geschmeidig starker Schritte,
der sich im allerkleinsten Kreise dreht,
ist wie ein Tanz von Kraft um eine Mitte,
in der betäubt ein großer Wille steht.

Nur manchmal schiebt der Vorhang der Pupille
sich lautlos auf –. Dann geht ein Bild hinein,
geht durch der Glieder angespannte Stille –
und hört im Herzen auf zu sein.

Der Panther lebt nicht mehr seiner Natur gemäß als Raubtier in Freiheit, sondern ist vom Menschen zum Schauobjekt, zum Ding gemacht worden. Aber dieses Ding weist über sich selbst hinaus und wird zu einer Art Gleichnis für den Zustand des modernen Menschen: Auch er ist seiner natürlichen Lebensweise durch vielerlei Zwänge beraubt. Vor allem der Moloch Großstadt greift mit tausend Armen nach ihm, um ihn zu verschlingen. So jedenfalls empfand Rilke Paris. Die bedrängenden und beängstigenden Eindrücke schrieb er sich in seinem umfangreichsten Prosatext *Die Aufzeichnungen des Malte Laurids Brigge* von der Seele, weshalb man das Buch auch »Rilkes Werther« nennt.
Malte ist ein 28-jähriger Dichter, der nach Paris kommt und von dieser Stadt überwältigt wird. Hinter ihren Fassaden spürt er ebenso wie hinter den Gesichtern der Menschen die Leere und Kälte, den Verfall und das Bodenlose.

So, also hierher kommen die Leute, um zu leben, ich würde eher meinen, es stürbe sich hier. Ich bin ausgewesen. Ich habe gesehen: Hospitäler. Ich habe einen Menschen gesehen, welcher schwankte und umsank. Die Leute versammelten sich um ihn, das ersparte mir den Rest. [...]

Habe ich es schon gesagt? Ich lerne sehen. Ja, ich fange an. Es geht noch schlecht. Aber ich will meine Zeit ausnutzen.
Daß es mir zum Beispiel niemals zum Bewußtsein gekommen ist, wieviel Gesichter es giebt. Es giebt eine Menge Menschen, aber noch viel mehr Gesichter, denn jeder hat mehrere. Da sind Leute, die tragen ein Gesicht jahrelang, natürlich nutzt es sich ab, es wird schmutzig, es bricht in den Falten, es weitet sich aus wie Handschuhe, die man auf der Reise getragen hat. Das sind sparsame, einfache Leute; sie wechseln es nicht, sie lassen es nicht einmal reinigen. Es sei gut genug, behaupten sie, und wer kann ihnen das Gegenteil nachweisen? Nun fragt es sich freilich, da sie mehrere Gesichter haben, was tun sie mit den andern? Sie heben sie auf. Ihre Kinder sollen sie tragen. Aber es kommt auch vor, daß ihre Hunde damit ausgehen. Weshalb auch nicht? Gesicht ist Gesicht.
Andere Leute setzen unheimlich schnell ihre Gesichter auf, eins nach dem andern, und tragen sie ab. Es scheint ihnen zuerst, sie hätten für immer, aber sie sind kaum vierzig; da ist schon das letzte. Das hat natürlich seine Tragik. Sie sind nicht gewohnt, Gesichter zu schonen, ihr letztes ist in acht Tagen durch, hat Löcher, ist an vielen Stellen dünn wie Papier, und da kommt dann nach und nach die Unterlage heraus, das Nichtgesicht, und sie gehen damit herum. [...]

Ich fürchte mich. Gegen die Furcht muß man etwas tun, wenn man sie einmal hat. Es wäre sehr häßlich, hier krank zu werden, und fiele es jemandem ein, mich ins Hôtel-Dieu zu schaffen, so würde ich dort gewiß sterben. [...]

Dieses ausgezeichnete Hôtel ist sehr alt, schon zu König Chlodwigs Zeiten starb man darin in einigen Betten. Jetzt wird in 559 Betten gestorben. Natürlich fabrikmäßig. Bei so enormer Produktion ist der einzelne Tod nicht so gut ausgeführt, aber darauf kommt es auch nicht an. Die Masse macht es. Wer gibt heute noch etwas für einen gut ausgearbeiteten Tod? Niemand. Sogar die Reichen, die es sich doch leisten könnten, ausführlich zu sterben, fangen an, nachlässig und gleichgültig zu werden; der Wunsch, einen eigenen Tod zu haben, wird immer seltener. Eine Weile noch, und er wird ebenso selten sein wie ein eigenes Leben.

Bei diesem Tagebuchroman könnte man von lyrischer Prosa sprechen. Rilke verzichtete auf eine fortlaufende Handlung und reihte stattdessen Beobachtungen, Erinnerungen und Reflexionen assoziativ aneinander. Das hatte es so bis dahin nicht gegeben. Durch seine neue Form sollte der *Malte* großen Einfluss auf die Entwicklung des modernen Romans haben.

Zwei ungleiche Brüder

Im gleichen Jahr wie Rilke, 1875, wurde auch Thomas Mann geboren, vier Jahre nach seinem Bruder Heinrich. Beide wuchsen in großbürgerlichen Verhältnissen in der Hansestadt Lübeck auf und begannen schon in jungen Jahren zu schreiben, entwickelten sich jedoch politisch und literarisch völlig unterschiedlich.
Thomas Mann sah sich als Schriftsteller in der Tradition Goethes. Ihm ging es darum, vollendete Texte zu komponieren, in denen – wie bei großen Musikstücken – jeder Ton sitzt. Deshalb schrieb er sehr bedächtig. »Es handelt sich dabei weder um Ängstlichkeit noch um Trägheit, sondern um ein außerordentlich lebhaftes Verantwortlichkeitsgefühl bei der Wahl jedes Wortes, der Prägung jeder Phrase – ein Verantwortlichkeitsgfühl, das nach vollkommener Frische verlangt und mit dem man nach der zweiten Arbeitsstunde lieber keinen irgendwichtigen Satz mehr unternimmt«, schrieb er dazu und fuhr fort: »Was mich betrifft, so heißt es die Zähne zusammenbeißen und langsam Fuß vor Fuß setzen – heißt es, Geduld üben, den halben Tag müßig gehen, sich schlafen legen und abwarten, ob es nicht morgen bei ausgeruhtem Kopf doch vielleicht besser wird.«

Heinrich und Thomas Mann

Schon mit seinem ersten Roman *Buddenbrooks* gelang dem

25-Jährigen ein Meisterwerk, für das er später den Nobelpreis erhielt.
Die Buddenbrooks sind wie die Manns eine alte Lübecker Kaufmannsfamilie, die von Generation zu Generation mehr aus der angestammten Bahn gerät. Bei Hanno, dem letzten männlichen Buddenbrook, ist nichts mehr von den kaufmännischen und bürgerlichen Tugenden seiner Vorfahren übrig geblieben. Er ist ein träumerischer, sensibler und künstlerisch begabter Junge, der mit 15 Jahren an Typhus stirbt. Seine Totenglocke läutet das Aussterben der Buddenbrooks ein.
Wie Hanno litt auch Thomas Mann schon als Junge unter der Spannung zwischen Bürgerlichkeit und Künstlertum. Dieses Thema behandelte er ausführlicher in den Novellen *Tonio Kröger* und *Der Tod in Venedig*. Tonio Kröger schreibt nach Jahren an eine Freundin:

Ich stehe zwischen zwei Welten, bin in keiner daheim und habe es infolgedessen ein wenig schwer. Ihr Künstler nennt mich einen Bürger, und die Bürger sind versucht, mich zu verhaften ... ich weiß nicht, was von beiden mich bitterer kränkt. Die Bürger sind dumm; ihr Anbeter der Schönheit aber, die ihr mich phlegmatisch und ohne Sehnsucht heißt, solltet bedenken, daß es ein Künstlertum gibt, so tief, so von Anbeginn und Schicksals wegen, daß keine Sehnsucht ihm süßer und empfindenswerter erscheint als die nach den Wonnen der Gewöhnlichkeit.
Ich bewundere die Stolzen und Kalten, die auf den Pfaden der großen, der dämonischen Schönheit abenteuern und den ›Menschen‹ verachten, – aber ich beneide sie nicht. Denn wenn irgend etwas imstande ist, aus einem Literaten einen Dichter zu machen, so ist es diese meine Bürgerliebe zum Menschlichen, Lebendigen und Gewöhnlichen. Alle Wärme, alle Güte, aller Humor kommt aus ihr, und fast will mir scheinen, als sei sie jene

Liebe selbst, von der geschrieben steht, daß einer mit Menschen- und Engelszungen reden könne und ohne sie doch nur ein tönendes Erz und eine klingende Schelle sei.

Der Erste Weltkrieg und die Angriffe von Rechten und Linken auf die junge Weimarer Republik führten bei Thomas Mann zu einer Wandlung: Er wurde vom »unpolitischen Künstler« zum engagierten republikanischen Bürger, der in Aufsätzen und Reden öffentlich Stellung bezog, auch gegen den heraufziehenden Faschismus. Literarisch wurde diese Wandlung in seinem zweiten großen Roman, *Der Zauberberg*, sichtbar. Der junge Hamburger Patriziersohn Hans Castorp besucht seinen lungenkranken Vetter Joachim Ziemßen in einem Davoser Sanatorium.

»Du kommst doch gleich mit mir hinunter? Ich sehe wirklich kein Hindernis.«
»Gleich mit dir?« fragte der Vetter und wandte ihm seine großen Augen zu, die immer sanft gewesen waren, in diesen fünf Monaten aber einen etwas müden, ja traurigen Ausdruck angenommen hatten. »Gleich wann?«
»Na, in drei Wochen.«
»Ach so, du fährst wohl schon wieder nach Hause in deinen Gedanken«, antwortete Joachim. »Nun, warte nur, du kommst ja eben erst an. Drei Wochen sind freilich fast nichts für uns hier oben, aber für dich, der du zu Besuch hier bist und überhaupt nur drei Wochen bleiben sollst, für dich ist es doch eine Menge Zeit. Erst akklimatisiere dich mal, das ist gar nicht so leicht, sollst du sehen. Und dann ist das Klima auch nicht das einzig Sonderbare bei uns. Du wirst hier mancherlei Neues sehen, paß auf. Und was du von mir sagst, das geht denn doch nicht so flott mit mir, du, ›in drei Wochen nach Haus‹, das sind so Ideen von unten. Ich bin ja wohl braun, aber das ist hauptsächlich Schneeverbren-

nung und hat nicht viel zu bedeuten, wie Behrens auch immer sagt, und bei der letzten Generaluntersuchung hat er gesagt, ein halbes Jahr wird es wohl ziemlich sicher noch dauern.«
»Ein halbes Jahr? Bist du toll?« rief Hans Castorp. Sie hatten sich eben vor dem Stationsgebäude, das nicht viel mehr als ein Schuppen war, in das gelbe Kabriolett gesetzt, das dort auf steinigem Platze bereit stand, und während die beiden Braunen anzogen, warf sich Hans Castorp empört auf dem harten Kissen herum. »Ein halbes Jahr? du bist ja schon fast ein halbes Jahr hier! Man hat doch nicht so viel Zeit –!«
»Ja, Zeit«, sagte Joachim und nickte mehrmals geradeaus, ohne sich um des Vetters ehrliche Entrüstung zu kümmern. »Die springen hier um mit der menschlichen Zeit, das glaubst du gar nicht. Drei Wochen sind wie ein Tag vor ihnen. Du wirst schon sehen. Du wirst das alles schon lernen«, sagte er und setzte hinzu: »Man verändert hier seine Begriffe.«

Während des Besuches wird Hans Castorp selbst zum Patienten und aus den geplanten drei Wochen werden sieben Jahre. In der vom »Flachland« abgeschlossenen Welt des Sanatoriums beginnt er eine innere Bildungsreise. Seine Mitpatienten verkörpern die unterschiedlichsten geistigen Strömungen der Zeit und werben sozusagen um seine Seele. Als der Erste Weltkrieg beginnt, wird Hans Castorp in den Krieg entlassen. Ob er überlebt, lässt der Autor offen, allerdings mit der Bemerkung, »wir möchten nicht hoch wetten, daß du davonkommst«.
Weil Thomas Mann die Weimarer Republik gegen ihre Feinde verteidigte, wurde er von den Nazis zum Feind erklärt. 1933 kehrte er von einer Auslandsreise nicht nach Deutschland zurück, blieb zuerst in der Schweiz und emigrierte später in die USA. Die Nazis bürgerten den Nobelpreisträger aus und verbrannten seine Bücher, die

Universität Bonn erkannte ihm die Ehrendoktorwürde ab. Der erfolgsverwöhnte Dichter notierte dazu: »Ich habe es mir nicht träumen lassen, es ist mir nicht an der Wiege gesungen worden, daß ich meine höheren Tage als Emigrant, zu Hause enteignet und verfemt, in tief notwendigem politischem Protest verbringen würde.« Nach Deutschland kam Thomas Mann bis zu seinem Tod im Jahre 1955 nur noch als Besucher.

Heinrich Mann hatte eine andere Vorstellung von Literatur und von der Aufgabe eines Schriftstellers als sein Bruder Thomas. Anfangs kam es deswegen öfter zu Auseinandersetzungen.

»Literatur und Politik, die beide den Menschen zum Gegenstand haben, sind nicht zu trennen«, schrieb er und forderte von den Schriftstellern, »daß sie Agitatoren werden, sich dem Volk verbünden, gegen die Macht«. Dichter wie Goethe »haben in Deutschland nichts verändert, keine Unmenschlichkeit ausgemerzt, keinen Zoll Weges Bahn gebrochen, in eine bessere Zeit«.

Obwohl Heinrich Mann wegen dieser Auffassung scharf angegriffen und von seinem Bruder gar als »Zivilisationsliterat« verunglimpft wurde, ließ er sich von seinem Weg nicht abbringen, kritisierte und entlarvte wie kein anderer den wilhelminischen Obrigkeits- und Untertanenstaat. Weltbekannt wurde sein Roman *Professor Unrat* durch die Verfilmung unter dem Titel »Der blaue Engel« mit Marlene Dietrich und Emil Jannings. Der tyrannische Gymnasialprofessor Raat ist ein strenger Hüter der (Schein-)Moral und erzieht seine »Zöglinge« im kleinbürgerlichen Untertanengeist. Als er erfährt, dass einer von ihnen ein zweifelhaftes Lokal besucht, in dem »die Künstlerin Fröhlich« auftritt, macht er sich auf den Weg, um den Sünder zu ertappen.

In seinem Bildungsbürgerdeutsch sagt er zu der Fröhlich: »Ich bin der Lehrer! Dieser Schüler ist ein so beschaffener, daß er die höchsten Strafen verdient. Seien Sie eingedenk Ihrer Pflicht, damit kein Verbrecher der Gerechtigkeit entkomme!«
»Liebes Gottchen! Sie wollen gewiß Wurst machen aus dem Menschen!«, antwortet sie in ihrer schnodderigen Art. Nicht gerade Wurst wollte Professor Unrat aus seinen Zöglingen machen, aber eben Untertanen. Das Musterexemplar eines solchen Menschentyps hat Heinrich Mann in seinem nächsten und wichtigsten Roman *Der Untertan* beschrieben:

Diederich Heßling war ein weiches Kind, das am liebsten träumte, sich vor allem fürchtete und viel an den Ohren litt. Ungern verließ er im Winter die warme Stube, im Sommer den engen Garten, der nach den Lumpen der Papierfabrik roch und über dessen Goldregen- und Fliederbäumen das hölzerne Fachwerk der alten Häuser stand. Wenn Diederich vom Märchenbuch, dem geliebten Märchenbuch, aufsah, erschrak er manchmal sehr. Neben ihm auf der Bank hatte ganz deutlich eine Kröte gesessen, halb so groß wie er selbst! Oder an der Mauer dort drüben stak bis zum Bauch in der Erde ein Gnom und schielte her!
Fürchterlicher als Gnom und Kröte war der Vater, und obendrein sollte man ihn lieben. Diederich liebte ihn. Wenn er genascht oder gelogen hatte, drückte er sich so lange schmatzend und scheu wedelnd am Schreibpult umher, bis Herr Heßling etwas merkte und den Stock von der Wand nahm. Jede nicht herausgekommene Untat mischte in Diederichs Ergebenheit und Vertrauen einen Zweifel. [...]
Kam er nach einer Abstrafung mit gedunsenem Gesicht und unter Geheul an der Werkstätte vorbei, dann lachten die Arbeiter. Sofort aber streckte Diederich nach ihnen die Zunge aus und stampfte. Er war sich bewußt: »Ich habe Prügel bekommen, aber von meinem Papa. Ihr wäret froh, wenn ihr auch Prügel von ihm

bekommen könntet. Aber dafür seid ihr viel zu wenig.« [...]
Nach so vielen furchtbaren Gewalten, denen man unterworfen war, nach den Märchenkröten, dem Vater, dem lieben Gott, dem Burggespenst und der Polizei, nach dem Schornsteinfeger, der einen durch den ganzen Schlot schleifen konnte, bis man auch ein schwarzer Mann war, und dem Doktor, der einen im Hals pinseln durfte und schütteln, wenn man schrie – nach allen diesen Gewalten geriet nun Diederich unter eine noch furchtbarere, den Menschen auf einmal ganz verschlingende: die Schule. [...]
Einmal nur, in der Untertertia, geschah es, daß Diederich jede Rücksicht vergaß, sich blindlings betätigte und zum siegestrunkenen Unterdrücker ward. Er hatte, wie es üblich und geboten war, den einzigen Juden seiner Klasse gehänselt, nun aber schritt er zu einer ungewöhnlichen Kundgebung. Aus Klötzen, die zum Zeichnen dienten, erbaute er auf dem Katheder ein Kreuz und drückte den Juden davor in die Knie. Er hielt ihn fest, trotz allem Widerstand; er war stark! Was Diederich stark machte, war der Beifall ringsum, die Menge, aus der heraus Arme ihm halfen, die überwältigende Mehrheit drinnen und draußen. Denn durch ihn handelte die Christenheit von Netzig. Wie wohl man sich fühlte bei geteilter Verantwortlichkeit und einem Schuldbewußtsein, das kollektiv war! Nach dem Verrauchen des Rausches stellte wohl leichtes Bangen sich ein, aber das erste Lehrergesicht, dem Diederich begegnete, gab ihm allen Mut zurück; es war voll verlegenen Wohlwollens. Andere bewiesen ihm offen ihre Zustimmung. Diederich lächelte mit demütigem Einverständnis zu ihnen auf. Er bekam es leichter seitdem. Die Klasse konnte die Ehrung dem nicht versagen, der die Gunst des neuen Ordinarius besaß. Unter ihm brachte Diederich es zum Primus und zum geheimen Aufseher. Wenigstens die zweite dieser Ehrenstellen behauptete er auch später. Er war gut Freund mit allen, lachte, wenn sie ihre Streiche ausplauderten, ein ungetrübtes, aber herzliches Lachen, als ernster junger Mensch, der Nachsicht hat mit dem Leichtsinn – und dann in der Pause, wenn er dem Professor das Klassenbuch vorlegte, berichtete er. Auch hinter-

brachte er die Spitznamen der Lehrer und die aufrührerischen Reden, die gegen sie geführt worden waren. In seiner Stimme bebte, nun er sie wiederholte, noch etwas von dem wollüstigen Erschrecken, womit er sie, hinter gesenkten Lidern, angehört hatte. Denn er spürte, ward irgendwie an den Herrschenden gerüttelt, eine gewisse lasterhafte Befriedigung, etwas ganz unter sich Bewegendes, fast wie ein Haß, der zu seiner Sättigung rasch und verstohlen ein paar Bissen nahm. Durch die Anzeige der anderen sühnte er die eigene sündhafte Regung.
Andererseits empfand er gegen die Mitschüler, deren Fortkommen seine Tätigkeit in Frage stellte, zumeist keine persönliche Abneigung. Er benahm sich als pflichtmäßiger Vollstrecker einer harten Notwendigkeit.

Diederich Heßling hat also früh gelernt, wie er am besten durchs Leben und vorwärts kommt: nach oben buckeln, nach unten treten. Mit dieser Methode wird er ein erfolgreicher Geschäftsmann und einflussreicher Ratsherr seiner Heimatstadt.
Wie schon *Professor Unrat* wurde auch *Der Untertan* von der Obrigkeit als bösartige Verzerrung des wilhelminischen Deutschland und seiner ehrenwerten Bürger abgelehnt und durfte erst nach dem Ende des Kaiserreiches 1918 erscheinen. Heinrich Mann erwies sich mit diesen beiden Romanen nicht nur als großartiger Satiriker, sondern auch als scharfer Analytiker der »Geschichte der öffentlichen Seele unter Wilhelm II.«, wie der Untertitel des Untertan ursprünglich lautete. Die psychologischen und politischen Bedingungen, die später in den Nationalsozialismus führten, sind in diesem Roman erstmals thematisiert. Und Diederich Heßling verkörpert jenen Menschentyp, der Auschwitz möglich gemacht hat: »Er benahm sich als pflichtmäßiger Vollstrecker« – später wurden solche Typen »Hitlers willige Helfer«.

Aufstand gegen die Väter

Noch ein deutscher Schriftsteller, der um die Jahrhundertwende zu schreiben begann, brachte es zu Weltruhm: Hermann Hesse (1877 – 1962). Wie Thomas Mann wurde auch ihm öfter vorgeworfen, er lebe in seinem Elfenbeinturm und kümmere sich nicht genug um die Probleme der Zeit. Dem widersprach Hesse, fügte allerdings hinzu, »das erste und brennendste meiner Probleme war nie der Staat, die Gesellschaft oder die Kirche, sondern der einzelne Mensch, die Persönlichkeit, das einmalige, nicht normierte Individuum«.

Hermann Hesse

In dem 1904 erschienenen Entwicklungsroman *Peter Camenzind* will die Hauptperson »nicht den Weg vieler, sondern seinen eigenen Weg gehen«. Camenzind lehnt die technisierte Zivilisation der Städte ab, sucht und findet sein Seelenheil schließlich in einem naturverbundenen, einfachen Leben.
Auch die Hauptperson in Hesses autobiographischem Roman *Unterm Rad* möchte einen eigenen Weg finden. Der sensible, phantasievolle Hans Giebenrath wächst wie Hesse in einer Kleinstadt im Schwarzwald auf.
Sein Vater »zeichnete sich durch keinerlei Vorzüge oder Eigenheiten vor seinen Mitbürgern aus. Er besaß gleich ihnen eine breite, gesunde Figur, eine leidliche kommerzielle Begabung, verbunden mit einer aufrichtigen, herzlichen Verehrung des Geldes, ferner ein kleines Wohnhaus mit Gärtchen, ein Familiengrab auf dem Friedhof, eine etwas

aufgeklärte und fadenscheinig gewordene Kirchlichkeit, angemessenen Respekt vor Gott und der Obrigkeit und blinde Unterwürfigkeit gegen die ehernen Gebote der bürgerlichen Wohlanständigkeit. [...] Er hätte mit jedem beliebigen Nachbarn Namen und Wohnung vertauschen können, ohne daß irgendetwas anders geworden wäre«.
In diesem Milieu hat Hans keine Chance auf einen eigenen Weg, zumal sein Vater, seine Lehrer und der Pfarrer von ihm erwarten, das württembergische Landesexamen zu bestehen und anschließend in Maulbronn Theologie zu studieren. Anfangs versucht Hans, den hohen Erwartungen gerecht zu werden, besteht das Examen als Zweitbester und entwickelt sich zu einem Musterstudenten. Doch als sein Freund Hermann Heilner, der Dichter werden will und die strengen Regeln immer offener ablehnt, aus Maulbronn flieht, fühlt sich Hans völlig verlassen, wird schwermütig und denkt an Selbstmord. In diesem Zustand kann er das Studium nicht fortsetzen und sein enttäuschter Vater schickt ihn zu einem Mechaniker in die Lehre.
Eines Tages kommt Hans nach Feierabend nicht wie üblich nach Hause.

Herr Giebenrath hatte ausgiebig geschimpft, als sein Bub zum Nachtessen ausgeblieben war. Als es neun Uhr wurde und Hans noch immer nicht da war, legte er ein lang nicht mehr gebrauchtes, starkes Meerrohr bereit. Der Kerl meinte wohl, er sei der väterlichen Rute bereits entwachsen? Der konnte sich gratulieren, wenn er heimkam!
Um zehn Uhr verschloß er die Haustüre. Wenn der Herr Sohn nachtschwärmen wollte, konnte er ja sehen, wo er bliebe.
Trotzdem schlief er nicht, sondern wartete mit wachsendem Grimm von Stunde zu Stunde darauf, daß eine Hand die Klinke probiere und schüchtern die Glocke ziehe. Er stellte sich die

Szene vor – der Herumtreiber konnte ja was erleben! Wahrscheinlich würde der Lausbub besoffen sein, aber er würde dann schon nüchtern werden, der Bengel, der Heimtücker, der elendige! Und wenn er ihm alle Knochen abeinander hauen mußte. Endlich bezwang ihn und seine Wut der Schlaf.
Zu derselben Zeit trieb der so bedrohte Hans schon kühl und still und langsam im dunklen Flusse talabwärts. Ekel, Scham und Leid waren von ihm genommen, auf seinen dunkel dahintreibenden, schmächtigen Körper schaute die kalte, bläuliche Herbstnacht herab, mit seinen Händen und Haaren und erblaßten Lippen spielte das schwarze Wasser. Niemand sah ihn, wenn nicht etwa der vor Tagesanbruch auf Jagd ziehende scheue Fischotter, der ihn listig beäugte und lautlos an ihm vorüberglitt. Niemand wußte auch, wie er ins Wasser geraten sei. Er war vielleicht verirrt und an einer abschüssigen Stelle ausgeglitten; er hatte vielleicht trinken wollen und das Gleichgewicht verloren. Vielleicht hatte der Anblick des schönen Wassers ihn gelockt, daß er sich darüber beugte, und da ihm Nacht und Mondblässe so voll Frieden und tiefer Rast entgegenblickten, trieb ihn Müdigkeit und Angst mit stillem Zwang in die Schatten des Todes.

Hesse sagte einmal, er habe mit dieser Geschichte die Krise seiner eigenen Jugend darstellen und sich »von der Erinnerung an sie befreien« wollen, weil er »der Schule, der Theologie, der Tradition und Autorität selber beinahe erlegen wäre«.

Wie Hesse haben auch andere Schriftsteller jener Zeit das mangelnde Verständnis von Erwachsenen für die Sorgen und Nöte der Kinder und Jugendlichen thematisiert. Einer von ihnen war Franz Kafka (1883 – 1924), dessen Familie aus Südböhmen nach Prag gezogen war, wo Kafka das deutsche Gymnasium besuchte und an der deutschen Universität Jura studierte. Im Alter von 36 Jahren schrieb er in seinem *Brief an den Vater*:

Direkt erinnere ich mich nur an einen Vorfall aus den ersten Jahren. Du erinnerst Dich vielleicht auch daran. Ich winselte einmal in der Nacht immerfort um Wasser, gewiß nicht aus Durst, sondern wahrscheinlich teils um zu ärgern, teils um mich zu unterhalten. Nachdem einige starke Drohungen nicht geholfen hatten, nahmst Du mich aus dem Bett, trugst mich auf die Pawlatsche und ließest mich dort allein vor der geschlossenen Tür ein Weilchen im Hemd stehn. Ich will nicht sagen, daß das unrichtig war, vielleicht war damals die Nachtruhe auf andere Weise wirklich nicht zu verschaffen, ich will aber damit Deine Erziehungsmittel und ihre Wirkung auf mich charakterisieren. Ich war damals nachher wohl schon folgsam, aber ich hatte einen inneren Schaden davon. Das für mich Selbstverständliche des sinnlosen Um-Wasser-Bittens und das außerordentlich Schreckliche des Hinausgetragenwerdens konnte ich meiner Natur nach niemals in die richtige Verbindung bringen. Noch nach Jahren litt ich unter der quälenden Vorstellung, daß der riesige Mann, mein Vater, die letzte Instanz, fast ohne Grund kommen und mich in der Nacht aus dem Bett auf die Pawlatsche tragen konnte und daß ich also ein solches Nichts für ihn war.

Franz Kafka

Dieses »mich oft beherrschende Gefühl der Nichtigkeit« und des Ausgeliefertseins wurde Kafka sein Leben lang nie mehr los – ebenso wenig wie die Hauptpersonen seiner Erzählungen und Romane.

In der Nacht vom 22. zum 23. September 1912 schrieb Kafka die Erzählung *Das Urteil*. Darin sagt der Vater am Ende eines langen Gesprächs zu seinem Sohn: »Ich verurteile dich zum Tode des Ertrinkens!« Der Sohn akzeptiert das väterliche Urteil widerspruchslos und geht ins Wasser.

Ein paar Wochen später entstand eine weitere Erzählung: *Die Verwandlung*. Sie beginnt mit folgenden Sätzen: »Als Gregor Samsa eines Morgens aus unruhigen Träumen erwachte, fand er sich in seinem Bett zu einem ungeheuren Ungeziefer verwandelt. Er lag auf seinem panzerartig harten Rücken und sah, wie er den Kopf ein wenig hob, seinen gewölbten, braunen, von bogenförmigen Versteifungen geteilten Bauch, auf dessen Höhe sich die Bettdecke, zum gänzlichen Niedergleiten bereit, kaum noch erhalten konnte. Seine vielen, im Vergleich zu seinem sonstigen Umfang kläglich dünnen Beine flimmerten ihm hilflos vor den Augen. ›Was ist mit mir geschehen?‹ dachte er. Es war kein Traum.«

Gregor arbeitet seit dem väterlichen Konkurs so fleißig, dass er die ganze Familie versorgen kann. Einerseits ist das der Familie natürlich sehr recht; aber andererseits drängt Gregor seinen Vater damit aus der Position des Ernährers und setzt sich praktisch an seine Stelle – eine Stelle, die ihm nicht zusteht. Dafür »bestraft« sich Gregor dann selbst, indem er sich in ein ungeheures Ungeziefer verwandelt, das letztlich an fehlender Zuwendung und Wärme zugrunde geht.

In Kafkas erstem, unvollendetem Roman *Der Prozeß* ist nicht mehr der Vater die übermächtige Figur; an seine Stelle tritt ein anonymes Gericht als oberste Instanz.

Wie Gregor Samsa liegt der Bankprokurist Josef K. noch im Bett, als das Unheil schon seinen Lauf nimmt. »Jemand mußte Josef K. verleumdet haben, denn ohne daß er etwas Böses getan hätte, wurde er eines Morgens verhaftet.« Zuerst glaubt er noch an »einen großen Spaß, den ihm aus unbekannten Gründen, vielleicht weil heute sein dreißigster Geburtstag war, die Kollegen in der Bank veranstaltet hatten«. Dafür spricht, dass er trotz seiner Verhaftung in Freiheit bleibt. Beim ersten Verhör versucht Josef K. zu erfahren, was ihm vorgeworfen wird, um sich rechtfertigen zu können. Aber seine Schuld wird nicht genannt. Er macht sich auf die Suche nach dem obersten Gericht, findet es in dem Behördenlabyrinth jedoch nicht. Je länger der »Prozeß« dauert, desto mehr fühlt Josef K. sich irgendwie doch schuldig, ohne sich dabei einer konkreten Schuld bewusst zu sein.

Am Vorabend seines einunddreißigsten Geburtstages – es war gegen neun Uhr abends, die Zeit der Stille auf den Straßen – kamen zwei Herren in K.s Wohnung. In Gehröcken, bleich und fett, mit scheinbar unverrückbaren Zylinderhüten. Nach einer kleinen Förmlichkeit bei der Wohnungstür wegen des ersten Eintretens wiederholte sich die gleiche Förmlichkeit in größerem Umfange vor K.s Tür. Ohne daß ihm der Besuch angekündigt gewesen wäre, saß K., gleichfalls schwarz angezogen, in einem Sessel in der Nähe der Türe und zog langsam neue, scharf sich über die Finger spannende Handschuhe an, in der Haltung, wie man Gäste erwartet. Er stand gleich auf und sah die Herren neugierig an. »Sie sind also für mich bestimmt?« fragte er. Die Herren nickten, einer zeigte mit dem Zylinderhut in der Hand auf den anderen. [...]
Nach Austausch einiger Höflichkeiten hinsichtlich dessen, wer die nächsten Aufgaben auszuführen habe – die Herren schienen die Aufträge ungeteilt bekommen zu haben –, ging der eine zu K. und zog ihm den Rock, die Weste und schließlich das Hemd aus. K. fröstelte unwillkürlich, worauf ihm der Herr einen leichten, beruhigenden Schlag auf den Rücken gab. Dann legte er die

Sachen sorgfältig zusammen, wie Dinge, die man noch gebrauchen wird, wenn auch nicht in allernächster Zeit. Um K. nicht ohne Bewegung der immerhin kühlen Nachtluft auszusetzen, nahm er ihn unter den Arm und ging mit ihm ein wenig auf und ab, während der andere Herr den Steinbruch nach irgendeiner passenden Stelle absuchte. Als er sie gefunden hatte, winkte er, und der andere Herr geleitete K. hin. [...]

Dann öffnete der eine Herr seinen Gehrock und nahm aus einer Scheide, die an einem um die Weste gespannten Gürtel hing, ein langes, dünnes, beiderseitig geschärftes Fleischermesser, hielt es hoch und prüfte die Schärfe im Licht. Wieder begannen die widerlichen Höflichkeiten, einer reichte über K. hinweg das Messer dem anderen, dieser reichte es wieder über K. zurück. K. wußte jetzt genau, daß es seine Pflicht gewesen wäre, das Messer, als es von Hand zu Hand über ihm schwebte, selbst zu fassen und sich einzubohren. Aber er tat es nicht, sondern drehte den noch freien Hals und sah umher. Vollständig konnte er sich nicht bewähren, alle Arbeit den Behörden nicht abnehmen, die Verantwortung für diesen letzten Fehler trug der, der ihm den Rest der dazu nötigen Kraft versagt hatte. Seine Blicke fielen auf das letzte Stockwerk des an den Steinbruch angrenzenden Hauses. Wie ein Licht aufzuckt, so fuhren die Fensterflügel eines Fensters dort auseinander, ein Mensch, schwach und dünn in der Ferne und Höhe, beugte sich mit einem Ruck weit vor und streckte die Arme noch weiter aus. Wer war es? Ein Freund? Ein guter Mensch? Einer, der teilnahm? Einer, der helfen wollte? War es ein einzelner? Waren es alle? War noch Hilfe? Gab es Einwände, die man vergessen hatte? Gewiß gab es solche. Die Logik ist zwar unerschütterlich, aber einem Menschen, der leben will, widersteht sie nicht. Wo war der Richter, den er nie gesehen hatte? Wo war das hohe Gericht, bis zu dem er nie gekommen war? Er hob die Hände und spreizte alle Finger.

Aber an K.s Gurgel legten sich die Hände des einen Herrn, während der andere das Messer ihm tief ins Herz stieß und zweimal dort drehte. Mit brechenden Augen sah noch K., wie die Herren, nahe vor seinem Gesicht, Wange an Wange aneinandergelehnt, die Entscheidung beobachteten. »Wie ein Hund!« sagte er, es war, als sollte die Scham ihn überleben.

So ungewöhnlich, ja absurd vieles in Kafkas Texten auf den ersten Blick scheint, so bekannt kommt uns heute manches auf den zweiten Blick vor. Denn eindringlicher als andere hat Kafka die Vereinsamung, das Leiden des Individuums an einer ihm fremd gewordenen Welt mit ihren anonymen Mächten beschrieben. Und das in einer klaren, präzisen, völlig emotionslosen Sprache. Doch bei aller Genauigkeit in »unwichtigen« Details werden wichtige Sachverhalte oft nicht erklärt oder nur angedeutet oder bleiben offen. Deswegen füllen die unterschiedlichsten Interpretationen von Kafkas Werken inzwischen ganze Bücherregale.
Aus dem Namen Kafka wurde sogar ein Adjektiv abgeleitet: kafkaesk. So nennt man eine Situation, in der anonyme Mächte auf rätselvolle Weise unheimlich und bedrohlich wirken. Weil Künstler wie Franz Kafka nicht mehr äußere, »oberflächliche« Eindrücke darstellten, sondern ausdrückten, wie sie selbst »die Welt« erlebten und was dabei in ihnen vorging, spricht man von »Expressionismus«.
Der österreichische Schriftsteller Hermann Bahr (1863 – 1934) schrieb dazu: »Da schreit die Not jetzt auf: der Mensch schreit nach seiner Seele, die ganze Zeit wird ein einziger Notschrei. Auch die Kunst schreit mit, in die tiefe Finsternis hinein, sie schreit um Hilfe, sie schreit nach dem Geist: das ist der Expressionismus.«
Für die Lyrik jener Zeit war das 1911 erstmals veröffentlichte Gedicht mit dem bezeichnenden Titel *Weltende* von Jakob van Hoddis (1887 – 1942) bahnbrechend:

Dem Bürger fliegt vom spitzen Kopf der Hut,
In allen Lüften hallt es wie Geschrei.
Dachdecker stürzen ab und gehn entzwei,
und an den Küsten – liest man – steigt die Flut.

Der Sturm ist da, die wilden Meere hupfen
An Land, um dicke Dämme zu zerdrücken.
Die meisten Menschen haben einen Schnupfen.
Die Eisenbahnen fallen von den Brücken.

Die scheinbar heile Bürgerwelt, in der materielles Denken vor geistigen Werten steht, wird hier durch eine Reihung von zusammenhanglosen Bildern demaskiert. Sie ist nicht mehr heil, sondern gerät mehr und mehr aus den Fugen.
Der junge Lyriker Johannes R. Becher (1891 – 1958) war wie viele andere von dem Gedicht begeistert. »Diese zwei Strophen, o diese acht Zeilen schienen uns in andere Menschen verwandelt zu haben, uns emporgehoben zu haben aus einer Welt stumpfer Bürgerlichkeit, die wir verachteten und von der wir nicht wußten, wie wir sie verlassen sollten.«
In der Zeit um die Jahrhundertwende ging die Entwicklung also vom Naturalismus über den Impressionismus bis zum Expressionismus – mit all den Sonderformen und Schattierungen, die es dazwischen auch noch gab.

O Deutschland, bleiche Mutter!

Wilhelm II., der seinen »Untertanen« versprochen hatte: »Ich führe euch herrlichen Zeiten entgegen!«, führte sie in den Ersten Weltkrieg. Nach vier Jahren Krieg wollten viele Matrosen kein Kanonenfutter mehr sein und verweigerten den Gehorsam. Ihre Meuterei weitete sich im November 1918 schnell zu einer Revolution aus, der Kaiser verschwand ins holländische Exil, die Republik wurde ausgerufen. Im Februar 1919 trat die (zum ersten Mal von Männern und Frauen gewählte) Nationalversammlung in Weimar zusammen, um der neuen Republik eine Verfassung zu geben. Es wurde eine sehr demokratische Verfassung, aber leider war die Weimarer Republik eine Demokratie mit viel zu wenig Demokraten. Das führte von Anfang an zu großen Schwierigkeiten. Erst dem Wirtschaftsaufschwung nach 1924 folgten ruhigere Jahre, die man auch »die Goldenen Zwanziger« nennt. Die deutsche Wissenschaft genoss wieder hohes Ansehen in der Welt, jeder dritte zwischen 1919 und 1927 vergebene wissenschaftliche Nobelpreis ging an einen deutschen Forscher. In der Architektur sorgte zur selben Zeit der sachlich-funktionelle »Bauhausstil« für Aufsehen. Dem entsprach in der bildenden Kunst und in der Literatur die »Neue Sachlichkeit«.

Erich Kästner

»Krieg, Revolution und Welterlösung! Laßt uns bescheiden sein und uns anderen, kleineren Dingen zuwenden«, schrieb Paul Kornfeld, der zum Prager Dichterkreis um Franz Kafka

gehört hatte. Diese kleineren Dinge sollten realistisch, einfach und verständlich dargestellt werden, damit möglichst viele Menschen mit der Literatur etwas anfangen, sie gebrauchen konnten. Gefordert wurde also eine »Gebrauchsliteratur«.
Selbst Lyriker schwelgten nicht mehr in Gefühlen, sondern schrieben sachlich-distanziert. Ein Meister dieser Form war Erich Kästner (1899 – 1974):

Sachliche Romanze

Als sie einander acht Jahre kannten
(und man darf sagen: sie kannten sich gut),
kam ihre Liebe plötzlich abhanden.
Wie andern Leuten ein Stock oder Hut.

Sie waren traurig, betrugen sich heiter,
versuchten Küsse, als ob nichts sei,
und sahen sich an und wußten nicht weiter.
Da weinte sie schließlich. Und er stand dabei.

Vom Fenster aus konnte man Schiffen winken.
Er sagte, es wäre schon Viertel nach Vier
und Zeit, irgendwo Kaffee zu trinken.
Nebenan übte ein Mensch Klavier.

Sie gingen ins kleinste Café am Ort
und rührten in ihren Tassen.
Am Abend saßen sie immer noch dort.
Sie saßen allein, und sie sprachen kein Wort
und konnten es einfach nicht fassen.

Obwohl die »Neue Sachlichkeit« in den zwanziger Jahren dominierte, gab es auch Künstler und Schriftsteller, die ihre eigenen Wege gingen, so dass eine große kulturelle Vielfalt herrschte. Vor allem Berlin wurde in dieser Zeit durch seine Theater und prachtvollen Revuen, durch das politisch-literarische Kabarett und den Film als neues Medium zu einer schillernden Metropole.

Hier spielt auch Alfred Döblins *Berlin Alexanderplatz*, der erste und bedeutendste deutsche Großstadtroman. Döblin (1878 – 1957) erzählt darin »Die Geschichte vom Franz Biberkopf«, eines ehemaligen Transportarbeiters, der vier Jahre im Gefängnis saß, weil er seine Freundin bei einem Streit tödlich verletzt hatte. Nach seiner Entlassung ist er fest entschlossen, »anständig zu sein« und als Straßenhändler am Alexanderplatz seinen Lebensunterhalt zu verdienen. Aber er gerät zwischen die Räder der Maschine Großstadt, landet in zwielichtigen Kreisen und wird zum Kriminellen. Erst nach vielen bitteren Erfahrungen gelangt er schließlich zu der Einsicht: »Man fängt nicht sein Leben mit guten Worten und Vorsätzen an, mit Erkennen und Verstehen fängt man es an und mit dem richtigen Nebenmann.«

Alfred Döblin

Aufsehen erregte der Roman mehr durch seine Form als durch den Inhalt. Wie schon bei Rilkes *Malte* gibt es keine fortlaufende Handlung im traditionellen Sinn. In Anlehnung an das neue Medium Film wechseln plötzlich die Schauplätze, werden räumlich und zeitlich getrennte Ereignisse ineinander geblendet. Außerdem verwendet Döblin zwischendurch immer wieder Reklame- und Schlagertexte, Zeitungsmeldungen, Polizei-, Wetter- und Börsenberichte,

Statistiken, Inserate und noch etliches mehr. Aus all diesen Teilen montiert er kurze Szenen, die das pulsierende Großstadtleben vor dem geistigen Auge des Lesers ablaufen lassen.

Die Invalidenstraße wälzt sich linksherum ab. Es geht nach dem Stettiner Bahnhof, wo die Züge von der Ostsee ankommen: Sie sind ja so berußt – ja hier staubts. – Guten Tag, auf Wiedersehn. – Hat der Herr was zu tragen, 50 Pfennig. – Sie haben sich aber gut erholt. – Ach die braune Farbe vergeht bald. – Woher die Leute bloß das viele Geld zu verreisen haben. – In einem kleinen Hotel da in einer finstern Straße hat sich gestern früh ein Liebespaar erschossen, ein Kellner aus Dresden und eine verheiratete Frau, die sich aber anders eingeschrieben haben.
Vom Süden kommt die Rosenthaler Straße auf den Platz. Drüben gibt Aschinger den Leuten zu essen und Bier zu trinken, Konzert und Großbäckerei. Fische sind nahrhaft, manche sind froh, wenn sie Fische haben, andere wieder können keine Fische essen, eßt Fische, dann bleibt ihr schlank, gesund und frisch. Damenstrümpfe, echte Kunstseide. Sie haben hier einen Füllfederhalter mit prima Goldfeder.
In der Elsasser Straße haben sie den ganzen Fahrweg eingezäunt bis auf eine kleine Rinne. Hinter dem Bauzaun pufft eine Lokomobile. Becker-Fiebig, Bauunternehmer A.G., Berlin W 35. Es rumort, Kippwagen liegen bis zur Ecke, wo die Commerz- und Privatbank ist, Depositenkasse L., Aufbewahrung von Wertpapieren, Einzahlung von Banksparkonten. Fünf Männer knien vor der Bank, Arbeiter, schlagen kleine Steine in die Erde.

Döblin will den Leser auch in Franz Biberkopf hineinblicken lassen, indem er Gefühle und Gedanken teils in inneren Monologen, teils unvermittelt assoziativ ausdrückt, wie zum Beispiel in der Szene, als es in Henschkes Kneipe zum Streit kommt.

Und er brüllt weiter in einem Grausen, was tut sich da auf, er wehrt es ab, er tritt es runter, es muß gebrüllt werden, niederbrüllen. Das Lokal dröhnt, Henschke steht vor ihm am Tisch, wagt sich nicht ran an ihn, so steht der da, so brüllt das dem aus dem Hals, durcheinander, und schäumt. [...]
Eine Tobsucht, Starre ist Franz Biberkopf. Er kräht blind aus seiner Kehle heraus, sein Blick ist gläsern, sein Gesicht blau, gedunsen, er spuckt, seine Hände glühen, der Mann ist nicht bei sich. Dabei krallen seine Finger in den Stuhl, aber er hält sich nur am Stuhl fest. Jetzt wird er gleich den Stuhl nehmen und losschlagen.
Achtung, Gefahr im Verzug, Straße frei, Laden, Feuer, Feuer, Feuer.
Dabei hört der Mann, der dasteht und brüllt, hört sich selbst, von weitem, sieht sich an. Die Häuser, die Häuser wollen wieder einstürzen, die Dächer wollen über ihn her, das gibt es nicht, damit sollen die mir nicht kommen, es wird den Verbrechern nicht gelingen, wir brauchen Ruhe.
Und es irrt durch ihn: es wird bald losgehen, ich werde etwas tun, eine Kehle fassen, nein, nein, ich werde bald umkippen, hinschlagen, einen Moment noch, einen Moment. Und da hab ich gedacht, die Welt ist ruhig, es ist Ordnung da. In seiner Dämmerung graut er sich: es ist etwas nicht in Ordnung in der Welt, die stehen da drüben so schrecklich, er erlebt es hellseherisch.
Es lebten aber einmal im Paradiese zwei Menschen, Adam und Eva. Und das Paradies war der herrliche Garten Eden. Vögel und Tiere spielten herum.

Mit dem »Simultanstil«, bei dem ganz unterschiedliche Geschehnisse und Gedanken zu einer riesigen Collage ineinander montiert werden, zeigt Döblin die Totalität des Großstadtlebens, wie das bis dahin noch niemand getan hatte.
Berlin Alexanderplatz machte Döblin berühmt und beein-

flusste die Arbeit vieler Schriftsteller nach ihm. Günter Grass sprach sogar von »meinem Lehrer Döblin«.

Ähnlichen Einfluss wie Alfred Döblin auf die Entwicklung des modernen Romans hatte Bertolt Brecht (1898 – 1956) auf das moderne Theater.

Ich bin ein Stückeschreiber.
Ich zeige, was ich gesehen habe.
Auf den Menschenmärkten
habe ich gesehen, wie der Mensch
gehandelt wird. Das
zeige ich, ich, der Stückeschreiber.

»Zeigen« wollte der junge Brecht mit seinen Stücken, nicht unterhalten. Dafür schien ihm das klassische »Illusionstheater« ungeeignet. Deshalb suchte er Mittel und Wege, die Zuschauer aus ihrer Konsumhaltung zu reißen. Schon bei der Aufführung seiner ersten Stücke ließ er zum Beispiel Transparente aufhängen: »Glotzt nicht so romantisch!« Die Schauspieler traten aus ihrer Rolle, wandten sich direkt an das Publikum und forderten es zum Mit- und Nachdenken auf; mit eingestreuten Songs wurde das Geschehen unterbrochen und kommentiert. Der Stückeschreiber »muß sein Publikum wundern machen, und dies geschieht vermittels einer Technik der Verfremdungen«, schrieb Brecht dazu. »Einen Vorgang oder einen Charakter verfremden, heißt zunächst einfach, dem Vorgang oder dem Charakter das

Bertolt Brecht

Selbstverständliche, Bekannte, Einleuchtende zu nehmen und über ihn Staunen und Neugierde zu erzeugen.« Die Zuschauer sollten begreifen, dass auf der Bühne nicht gelebt, sondern gespielt wurde, um etwas zu lehren. In den Anmerkungen zu seinem Stück Aufstieg und Fall der Stadt Mahagonny aus dem Jahr 1929 brachte Brecht seine Überlegungen auf den Punkt: »Das moderne Theater ist das epische Theater. Folgendes Schema zeigt einige Gewichtsverschiebungen vom dramatischen zum epischen Theater.

Dramatische Form des Theaters	*Epische Form des Theaters*
Die Bühne »verkörpert« einen Vorgang	sie erzählt ihn
verwickelt den Zuschauer in eine Aktion und	macht ihn zum Betrachter, aber
verbraucht seine Aktivität	weckt seine Aktivität
ermöglicht ihm Gefühle	erzwingt von ihm Entscheidungen
vermittelt ihm Erlebnisse	vermittelt ihm Kenntnisse
der Zuschauer wird in eine Handlung hineinversetzt	er wird ihr gegenübergesetzt
es wird mit Suggestion gearbeitet	es wird mit Argumenten gearbeitet
die Empfindungen werden konserviert	bis zu Erkenntnissen getrieben
der Mensch wird als bekannt vorausgesetzt	der Mensch ist Gegenstand der Untersuchung«

Abgesehen von den marxistischen Lehrstücken, schuf Brecht trotz des engen theoretischen Korsetts, das er sich selbst anlegte, einige Werke, die das Publikum durchaus genoss, bei denen es auch mitfühlte und mitlitt – was für den Dramatiker Brecht spricht.
In dem Parabelstück *Der gute Mensch von Sezuan* kommen drei Götter auf die Erde, weil sie gehört haben, es sei unmöglich, gut zu sein und zugleich menschenwürdig zu leben. Das wollen sie nicht glauben und suchen nach guten Menschen. Sie bitten um ein Nachtquartier, werden aber überall abgewiesen. Nur die Prostituierte Shen Te ist bereit, die Götter aufzunehmen. Die sind froh, endlich wenigstens einen guten Menschen gefunden zu haben.

Shen Te: Halt, Erleuchtete, ich bin gar nicht sicher, daß ich gut bin. Ich möchte es wohl sein, nur, wie soll ich meine Miete bezahlen? So will ich es euch denn gestehen: ich verkaufe mich, um leben zu können, aber selbst damit kann ich mich nicht durchbringen, da es so viele gibt, die dies tun müssen. Ich bin zu allem bereit, aber wer ist das nicht? Freilich würde ich glücklich sein, die Gebote halten zu können der Kindesliebe und der Wahrhaftigkeit. Nicht begehren meines Nächsten Haus, wäre mir eine Freude, und einem Mann anhängen in Treue, wäre mir angenehm. Auch ich möchte aus keinem meinen Nutzen ziehen und den Hilflosen nicht berauben. Aber wie soll ich dies alles? Selbst wenn ich einige Gebote nicht halte, kann ich kaum durchkommen.

Damit es ihr in Zukunft leichter fällt, gut zu sein, bezahlen die Götter für das Nachtquartier tausend Silberdollar, mit denen Shen Te einen Tabakladen eröffnet. Es spricht sich schnell herum, dass es ihr nun gut geht, und bald wird sie von vielen Leuten angebettelt. Shen Te muss erkennen, dass

ihr Laden nicht genug einbringt, um allen zu helfen. Aber sie bringt es nicht fertig, jemanden abzuweisen. Deshalb »verwandelt« sie sich in ihren Vetter Shui Ta, der rücksichtslos gegen die Schmarotzer vorgeht, das Geschäft nach kapitalistischen Grundsätzen führt und damit sehr erfolgreich ist.
Die Leute vermissen Shen Te und beschuldigen Shui Ta, sie umgebracht zu haben. Es kommt zu einer Gerichtsverhandlung, in deren Verlauf er die Maske abnimmt und wieder zu Shen Te wird.

Shen Te: Ja, ich bin es. Shui Ta und Shen Te, ich bin beides.
Euer einstiger Befehl
Gut zu sein und doch zu leben
Zerriß mich wie ein Blitz in zwei Hälften. Ich
Weiß nicht, wie es kam: gut sein zu andern
Und zu mir konnte ich nicht zugleich.
Andern und mir zu helfen, war mir zu schwer.
Ach, eure Welt ist schwierig! Zu viel Not, zu viel Verzweiflung!
Die Hand, die dem Elenden gereicht wird
Reißt er einem gleich aus! Wer den Verlorenen hilft
Ist selbst verloren! [...]
Etwas muß falsch sein an eurer Welt. Warum
Ist auf die Bosheit ein Preis gesetzt und warum erwarten den Guten
So harte Strafen? [...]
Der erste Gott *heftig*: Sollen wir eingestehen
Daß unsere Gebote tödlich sind?
Sollen wir verzichten auf unsere Gebote?
Verbissen: Niemals! Soll die Welt geändert werden?
Wie? Von wem? Nein, es ist alles in Ordnung!

Die Götter machen sich auf einer rosa Wolke davon und lassen Shen Te und die Zuschauer mit ihren Fragen und Problemen zurück.

Vor den Vorhang tritt ein Spieler und wendet sich entschuldigend an das Publikum mit einem Epilog.

Verehrtes Publikum, jetzt kein Verdruß:
Wir wissen wohl, das ist kein rechter Schluß.
Vorschwebte uns: die goldene Legende.
Unter der Hand nahm sie ein bitteres Ende.
Wir stehen selbst enttäuscht und sehn betroffen
Den Vorhang zu und alle Fragen offen.
Dabei sind wir doch auf Sie angewiesen
Daß Sie bei uns zu Haus sind und genießen.
Wir können es uns leider nicht verhehlen:
Wir sind bankrott, wenn Sie uns nicht empfehlen!
Vielleicht fiel uns aus lauter Furcht nichts ein.
Das kam schon vor. Was könnt die Lösung sein?
Wir konnten keine finden, nicht einmal für Geld.
Soll es ein andrer Mensch sein? Oder eine andre Welt?
Vielleicht nur andere Götter? Oder keine?
Wir sind zerschmettert und nicht nur zum Scheine!
Der einzige Ausweg wär aus diesem Ungemach:
Sie selber dächten auf der Stelle nach
Auf welche Weis dem guten Menschen man
Zu einem guten Ende helfen kann.
Verehrtes Publikum, los, such dir selbst den Schluß!
Es muß ein guter da sein, muß, muß, muß!

Bertolt Brecht war nicht nur einer der größten Dramatiker des 20. Jahrhunderts, er war auch ein sehr produktiver Lyriker; einige seiner Gedichte gehören zu den besten und schönsten, die wir in unserer Sprache besitzen, so zum Beispiel das folgende:

Erinnerung an die Marie A.

1
An jenem Tag im blauen Mond September
Still unter einem jungen Pflaumenbaum
Da hielt ich sie, die stille bleiche Liebe
In meinem Arm wie einen holden Traum.
Und über uns im schönen Sommerhimmel
War eine Wolke, die ich lange sah
Sie war sehr weiß und ungeheuer oben
Und als ich aufsah, war sie nimmer da.

2
Seit jenem Tag sind viele, viele Monde
Geschwommen still hinunter und vorbei.
Die Pflaumenbäume sind wohl abgehauen
Und fragst du mich, was mit der Liebe sei?
So sag ich dir: ich kann mich nicht erinnern
Und doch, gewiß, ich weiß schon, was du meinst.
Doch ihr Gesicht, das weiß ich wirklich nimmer
Ich weiß nur mehr: ich küßte es dereinst.

3
Und auch den Kuß, ich hätt ihn längst vergessen
Wenn nicht die Wolke dagewesen wär
Die weiß ich noch und werd ich immer wissen
Sie war sehr weiß und kam von oben her.
Die Pflaumenbäume blühn vielleicht noch immer
Und jene Frau hat jetzt vielleicht das siebte Kind
Doch jene Wolke blühte nur Minuten
Und als ich aufsah, schwand sie schon im Wind.

Immer wieder hat der Marxist Brecht auch politische Gedichte geschrieben, in denen er sich unter anderem mit den am Ende der Weimarer Republik zunehmend lauter und stärker werdenden Nationalsozialisten beschäftigte.

Das Lied vom SA-Mann

Als mir der Magen knurrte, schlief ich
Vor Hunger ein.
Da hört ich sie ins Ohr mir
Deutschland erwache! schrein.
Da sah ich viele marschieren
Sie sagten: ins Dritte Reich.
Ich hatte nichts zu verlieren
Und lief mit, wohin war mir gleich.

Der Band *Lieder Gedichte Chöre*, aus dem dieses Lied stammt, endet mit dem 1933 entstandenen Klagelied *Deutschland*:

O Deutschland, bleiche Mutter!
Wie sitzest du besudelt
Unter den Völkern.
Unter den Befleckten
Fällst du auf.
[...]
In deinem Hause
Wird laut gebrüllt, was Lüge ist
Aber die Wahrheit
Muß schweigen.
Ist es so?
[...]
O Deutschland, bleiche Mutter!
Wie haben deine Söhne dich zugerichtet
Daß du unter den Völkern sitzest
Ein Gespött oder eine Furcht!

Brechts Kritik an den deutschen Verhältnissen war hart, aber zutreffend, wie sich schon bald nach Hitlers Machtergreifung vom 30. Januar 1933 zeigte. Für viele Schriftsteller, Journalisten und Künstler stellte sich die Frage, ob sie im Land bleiben oder ob sie es nicht lieber verlassen sollten. Bereits in den ersten Monaten des Jahres 1933 entschieden sich Brecht und andere zur Flucht ins benachbarte Ausland. Anfangs glaubten die meisten noch, »der braune Spuk« werde bald vorbei sein und sie könnten wieder zurückkehren. Doch schon am 7. Mai 1933 wurde eine schwarze Liste mit 44 deutschsprachigen Autoren veröffentlicht und drei Tage später brannten ihre Bücher auf großen Scheiterhaufen. Mit jeder Aktion und jedem neuen Gesetz wurde den Emigranten klarer, dass sie sich wohl auf ein längeres Exil einstellen mussten. Das hielten nicht alle aus, einige, wie Walter Benjamin, Walter Hasenclever, Kurt Tucholsky und Stefan Zweig, nahmen sich das Leben. Andere richteten sich so gut wie möglich in der Fremde ein, was besonders für die weniger Bekannten oft sehr schwierig war, weil sie nicht viel besaßen und kaum Einnahmen hatten.

Viele konnten oder wollten ihre Heimat trotz allem nicht verlassen, unter ihnen Erich Mühsam, der 1934 im Konzentrationslager Oranienburg ermordet wurde, und Carl von Ossietzky, der schon 1933 inhaftiert wurde, 1936 den Friedensnobelpreis erhielt und 1938 an den Folgen der Misshandlungen im Konzentrationslager starb. Auch andere Schriftsteller wurden eingesperrt, eingeschüchtert und erhielten Schreibverbot, weil ihre Bücher, ihre politischen Ansichten oder ihre religiöse Überzeugung den Nazis nicht passten.

Es gab auch Schriftsteller, die in Deutschland blieben und in die so genannte »innere Emigration« gingen. Wenn sie mit den Nationalsozialisten nicht einverstanden waren, konnten sie entweder nicht veröffentlichen oder sie mussten ihre

Ansichten sehr gut verschleiern. Über die »inneren Emigranten« gab es nach dem Zweiten Weltkrieg, den Deutschland 1939 entfesselte, eine heftige Diskussion. Den »inneren Emigranten« wurde vorgeworfen, sich nicht entschieden genug gegen die Nazis engagiert zu haben. Jene wiederum verstanden sich nicht als politische, sondern als »geistige Opposition«, die der Welt zeigen wollte, dass es in dem »bösen Deutschland« auch noch ein gutes gab. Davon sah die Welt allerdings nichts, denn der gesamte »literarische Betrieb« wurde von der »Reichsschrifttumskammer«, die dem Propagandaminister Joseph Goebbels unterstand, überwacht und gelenkt. Gedruckt wurden nur Bücher, die dem NS-Regime genehm waren.

Nach dem Zusammenbruch des »Dritten Reiches« und der bedingungslosen Kapitulation Deutschlands am 8. Mai 1945 schrieb Thomas Mann aus dem Exil: »In meinen Augen sind Bücher, die von 1933 bis 1945 in Deutschland überhaupt gedruckt werden konnten, weniger als wertlos und nicht gut in die Hand zu nehmen. Ein Geruch von Blut und Schande haftet ihnen an; sie sollten alle eingestampft werden.«

Trümmerliteratur

Im Mai 1945 standen die Deutschen vor einem riesigen Trümmerhaufen. Nicht nur die Städte lagen in Schutt und Asche, auch Überzeugungen, Wünsche, Hoffnungen und Träume waren zerbrochen – und mit ihnen viele Menschen. Doch trotz allem regte sich in den Trümmern bald auch wieder das literarische Leben, wobei viele ältere Dichter an die ästhetischen Traditionen der Zeit vor 1933 anknüpften. Das lehnte die so genannte »junge Generation« ab und distanzierte sich von den »Schönschreibern der Vergangenheit«. Aus den Trümmern sollte nicht nur ein neues Deutschland, sondern auch eine neue Literatur entstehen. Dazu sei ein »Kahlschlag« nötig, schrieb Wolfgang Weyrauch (1907 – 1980). »Die Kahlschläger fangen in Sprache, Substanz und Konzeption von vorn an, ganz von vorn.« Dabei seien sie nur der Wahrheit verpflichtet, »auch um den Preis der Poesie«. In einem Gedicht formulierte Wolfdietrich Schnurre (1920 – 1989) folgenden Aufruf an seine Dichterkollegen:

Zerschlagt eure Lieder
Verbrennt eure Verse
sagt nackt
was ihr müßt.

Die Vorstellungen von einer neuen Lyrik hat Günter Eich (1907 – 1972) mit seinem Gedicht *Inventur* am konsequentesten verwirklicht:

Dies ist meine Mütze;
dies ist mein Mantel,
hier mein Rasierzeug
im Beutel aus Leinen.

Konservenbüchse:
Mein Teller, mein Becher,
ich hab in das Weißblech
den Namen geritzt.

Geritzt hier mit diesem
kostbaren Nagel,
den vor begehrlichen
Augen ich berge.

Im Brotbeutel sind
ein Paar wollene Socken
und einiges, was ich
niemand verrate.

So dient es als Kissen
nachts meinem Kopf.
Die Pappe hier liegt
zwischen mir und der Erde.

Die Bleistiftmine
lieb ich am meisten:
Tags schreibt sie mir Verse,
die nachts ich erdacht.

Dies ist mein Notizbuch,
dies ist meine Zeltbahn,
dies ist mein Handtuch,
dies ist mein Zwirn.

Die wohl eindringlichste Stimme der jungen Generation war Wolfgang Borchert (1921 – 1947). Er verfasste ein Manifest, in dem es hieß: »Wir brauchen keine Dichter mit guter Grammatik. Zu guter Grammatik fehlt uns die Geduld. Wir brauchen die mit dem heißen heiser geschluchzten Gefühl. Die zu Baum Baum und zu Weib Weib sagen und ja sagen und nein sagen: laut und deutlich und dreifach und ohne Konjunktiv.«

Wolfgang Borchert

Borcherts Ungeduld war verständlich. Er, der mit 20 Jahren in den Krieg geschickt, wegen kritischer Äußerungen gegen die Nazis mehrfach eingesperrt, zum Tode verurteilt und zur »Bewährung an der Front« begnadigt worden war, erlebte das Kriegsende als schwer kranker Mann. 1946 wurde er aus einem Hamburger Krankenhaus als unheilbar entlassen. Mit 25 Jahren ahnte er, dass er nicht mehr viel Zeit haben würde. Und so schrieb er.

Ein Mann kommt nach Deutschland.
Er war lange weg, der Mann. Sehr lange. Vielleicht zu lange. Und er kommt ganz anders wieder, als er wegging. Äußerlich ist er ein naher Verwandter jener Gebilde, die auf den Feldern stehen, um die Vögel (und abends manchmal auch die Menschen) zu erschrecken. Innerlich – auch. Er hat tausend Tage draußen in der Kälte gewartet. Und als Eintrittsgeld mußte er mit seiner Kniescheibe bezahlen. Und nachdem er nun tausend Nächte draußen in der Kälte gewartet hat, kommt er endlich doch noch nach Hause.
Ein Mann kommt nach Deutschland.
Und da erlebt er einen ganz tollen Film. Er muß sich während der

Vorstellung mehrmals in den Arm kneifen, denn er weiß nicht, ob er wacht oder träumt. Aber dann sieht er, daß es rechts und links neben ihm noch mehr Leute gibt, die alle dasselbe erleben. Und er denkt, daß es dann doch wohl die Wahrheit sein muß. Ja, und als er dann am Schluß mit leerem Magen und kalten Füßen wieder auf der Straße steht, merkt er, daß es eigentlich nur ein ganz alltäglicher Film war, ein ganz alltäglicher Film. Von einem Mann, der nach Deutschland kommt, einer von denen. Einer von denen, die nach Hause kommen und die dann doch nicht nach Hause kommen, weil für sie kein Zuhause mehr da ist. Und ihr Zuhause ist dann draußen vor der Tür. Ihr Deutschland ist draußen, nachts im Regen, auf der Straße.
Das ist ihr Deutschland.

Draußen vor der Tür, mit dem Untertitel *Ein Stück, das kein Theater spielen und kein Publikum sehen will*, schrieb Borchert 1947 innerhalb weniger Tage, erst als Hörspiel, dann als Theaterstück.
Der ehemalige Unteroffizier Beckmann kommt nach fünf Jahren Krieg und drei Jahren russischer Gefangenschaft zurück. Doch zu Hause ist ein anderer Mann bei seiner Frau. Verzweifelt geht er in die Elbe, aber die spuckt ihn wieder aus. Ein Mädchen findet ihn und nimmt ihn mit nach Hause. Aber dann kommt ihr Mann zurück und fragt: »Was tust du hier? Du? In meinem Zeug? Auf meinem Platz? Bei meiner Frau?« Beckmann antwortet leise: »Das habe ich gestern nacht auch den Mann gefragt, der bei meiner Frau war. In meinem Hemd war. In meinem Bett. Was tust du hier, du? habe ich gefragt. Da hat er die Schultern hochgehoben und wieder fallenlassen und hat gesagt: Ja, was tue ich hier. Das hat er geantwortet. Da habe ich die Schlafzimmertür wieder zugemacht, nein, erst noch das Licht wieder ausgemacht. Und dann stand ich draußen.«

Und Beckmanns Eltern? »Einen Morgen lagen sie steif und blau in der Küche. So was Dummes, sagt mein Alter, von dem Gas hätten wir einen ganzen Monat kochen können«, erzählt Frau Kramer, die jetzt in der Beckmann-Wohnung wohnt. Wieder steht Beckmann draußen. Aber wenigstens die Verantwortung für die elf gefallenen Soldaten seines Spähtrupps will er dem Oberst zurückgeben.

Oberst: Aber mein lieber Beckmann, Sie erregen sich unnötig. So war das doch gar nicht gemeint.

Beckmann (*ohne Erregung, aber ungeheuer ernsthaft*): Doch. Doch, Herr Oberst. So muß das gemeint sein. Verantwortung ist doch nicht nur ein Wort, eine chemische Formel, nach der helles Menschenfleisch in dunkle Erde verwandelt wird. Man kann doch Menschen nicht für ein leeres Wort sterben lassen. Irgendwo müssen wir doch hin mit unserer Verantwortung. Die Toten – antworten nicht. Gott – antwortet nicht. Aber die Lebenden, die fragen. Die fragen jede Nacht, Herr Oberst. Wenn ich dann wach liege, dann kommen sie und fragen. Frauen, Herr Oberst, traurige, trauernde Frauen. Alte Frauen mit grauem Haar und harten rissigen Händen – junge Frauen mit einsamen sehnsüchtigen Augen, Kinder, Herr Oberst, Kinder, viele kleine Kinder. Und die flüstern dann aus der Dunkelheit: Unteroffizier Beckmann, wo ist mein Vater, Unteroffizier Beckmann? Unteroffizier Beckmann, wo haben Sie meinen Mann? Unteroffizier Beckmann, wo ist mein Sohn, wo ist mein Bruder, Unteroffizier Beckmann, wo ist mein Verlobter, Unteroffizier Beckmann? Unteroffizier Beckmann, wo? wo? wo? So flüstern sie, bis es hell wird. Es sind nur elf Frauen, Herr Oberst, bei mir sind es nur elf. Wieviel sind es bei Ihnen, Herr Oberst? Tausend? Zweitausend? Schlafen Sie gut, Herr Oberst? Dann macht es Ihnen wohl nichts aus, wenn ich Ihnen zu den zweitausend noch die Verantwortung für meine elf dazugebe. Können Sie schlafen, Herr

Oberst? Mit zweitausend nächtlichen Gespenstern? Können Sie überhaupt leben, Herr Oberst, können Sie eine Minute leben, ohne zu schreien? Herr Oberst, Herr Oberst, schlafen Sie nachts gut? Ja? Dann macht es Ihnen ja nichts aus, dann kann ich wohl nun endlich pennen – wenn Sie so nett sind und sie wieder zurücknehmen, die Verantwortung. Dann kann ich wohl nun endlich in aller Seelenruhe pennen. Seelenruhe, das war es, ja, Seelenruhe, Herr Oberst!
Und dann: schlafen! Mein Gott!

Der Oberst, der sich im Zivilleben schon wieder recht gut eingerichtet hat, lacht ihn aus:

Oberst: [...] Schmeißen Sie Ihre zerrissenen Klamotten weg, ziehen Sie sich einen alten Anzug von mir an, doch, das dürfen Sie ruhig annehmen, und dann werden Sie erstmal wieder ein Mensch, mein lieber Junge! Werden Sie erstmal wieder ein Mensch!!!

Beckmann *(wacht auf und wacht auch zum erstenmal aus seiner Apathie auf)*: Ein Mensch? Werden? Ich soll erstmal wieder ein Mensch werden? *(schreit)* Ich soll ein Mensch werden? Ja, was seid ihr denn? Menschen? Menschen? Wie? Was? Ja? Seid ihr Menschen? Ja?!?

Am 20. November 1947, einen Tag vor der Uraufführung seines Stückes, starb Wolfgang Borchert mit gerade mal 26 Jahren. *Draußen vor der Tür* war das bedeutendste Heimkehrerdrama der Nachkriegszeit und wurde ein großer Erfolg. Bis Mitte der sechziger Jahre stand es regelmäßig auf den Theaterspielplänen und wurde auch mehrfach im Fernsehen gesendet. Millionen Schülerinnen und Schüler beschäftigten sich im Unterricht mit dem Stück. Das galt und gilt noch mehr für Wolfgang Borcherts Kurzgeschichten.

Diese neue und wichtigste Gattung der Nachkriegsliteratur hat er, beeinflusst durch die amerikanische »short story«, mit Wolfdietrich Schnurre und Heinrich Böll in Deutschland begründet. Die Kurzgeschichte ist nach Schnurre »grob gesprochen, ein Stück herausgerissenes Leben«. In ihrem Mittelpunkt stehen Durchschnittsmenschen mit ihren alltäglichen Sorgen, von denen in einer Momentaufnahme erzählt wird.

»Plötzlich wachte sie auf.« So beginnt *Das Brot*, eine der besten Kurzgeschichten Borcherts. »Sie« ist eine namenlose Frau, die nachts um halb drei von einem Geräusch aufwacht, durch die dunkle Wohnung in die Küche tappt, wo ihr ebenso namenloser Mann heimlich von dem knappen Brot isst. »Ich dachte, hier wäre was«, sagt er und sieht in der Küche umher. Sie tut so, als bemerke sie nicht, dass er Brot gegessen hat, und beide gehen zurück ins Bett.

Dann war es still. Nach vielen Minuten hörte sie, daß er leise und vorsichtig kaute. Sie atmete absichtlich tief und gleichmäßig, damit er nicht merken sollte, daß sie noch wach war. Aber sein Kauen war so regelmäßig, daß sie davon langsam einschlief.

Als er am nächsten Abend nach Hause kam, schob sie ihm vier Scheiben Brot hin. Sonst hatte er immer nur drei essen können.

»Du kannst ruhig vier essen«, sagte sie und ging von der Lampe weg. »Ich kann dieses Brot nicht so recht vertragen. Iß du man eine mehr. Ich vertrage es nicht so gut.«

Sie sah, wie er sich tief über den Teller beugte. Er sah nicht auf. In diesem Augenblick tat er ihr leid.

»Du kannst doch nicht nur zwei Scheiben essen«, sagte er auf seinen Teller.

»Doch. Abends vertrag ich das Brot nicht gut. Iß man. Iß man.«

Erst nach einer Weile setzte sie sich unter die Lampe an den Tisch.

Die meisten Kurzgeschichten Borcherts, wie auch die anderer Autoren der Nachkriegszeit, handeln vom Krieg und vom Leben in den Trümmern. »Die ersten schriftstellerischen Versuche unserer Generation nach 1945 hat man als Trümmerliteratur bezeichnet, man hat sie damit abzutun versucht. Wir haben uns gegen diese Bezeichnung nicht gewehrt, weil sie zu Recht bestand: Tatsächlich, die Menschen, von denen wir schrieben, lebten in Trümmern, sie kamen aus dem Kriege, Männer und Frauen in gleichem Maße verletzt, auch Kinder.« So schrieb Heinrich Böll in seinem *Bekenntnis zur Trümmerliteratur.*

Die Gruppe 47

Hans Werner Richter (1908 – 1993) und Alfred Andersch (1914 – 1980) hatten schon im Jahre 1946 die Zeitschrift »Der Ruf – Unabhängige Blätter der jungen Generation« gegründet. Darin wurden auch Artikel veröffentlicht, die für eine sozialistische Demokratie eintraten und die Besatzungspolitik der Siegermächte kritisierten. Das ging denen zu weit und sie verboten die Zeitschrift. Aber Richter und Andersch gaben nicht auf. Am 10. September 1947 trafen sie sich mit anderen Autoren, um die Gründung einer neuen Zeitschrift zu besprechen und um »die Junge Literatur zu sammeln und zu fördern«. Mit der Zeitschrift klappte es nicht, aber den ersten Treffen folgten viele. Unter der Leitung von Richter traf sich die »Gruppe 47« jährlich, wobei jedes Jahr neue Autoren dazukamen.
Bald bildeten sich Rituale heraus, an die sich alle hielten. Wer auf dem »Feuerstuhl« saß, hatte etwa eine halbe Stunde Zeit, aus einem neuen Text vorzulesen. Dann folgte die schonungslose Kritik, wobei die Lesenden nicht mitdiskutieren, sich mit keinem Wort verteidigen durften. Hans Werner Richter moderierte das Ganze. Er wurde von allen als unumstrittener Chef anerkannt. »Alle gehorchten ihm, auch längst arrivierte, auch berühmte Autoren«, schreibt der Literaturkritiker Marcel Reich-Ranicki im Rückblick. Er berichtet von einem Treffen, da »sagte Richter um die Mittagszeit, man sei vorerst mit den Lesungen fertig. Einige der Anwesenden standen gleich auf. Hierauf Richter: ›Halt, ich habe noch nicht gesagt, daß wir schon Pause machen.‹ Wie brave Schulkinder setzten sie sich alle wieder hin: Enzensberger und Erich Fried, Heißenbüttel und Hubert

Fichte, Alexander Kluge und Jürgen Becker. Richter sah dies mit deutlicher Genugtuung und erklärte knapp: ›Pause.‹ So hat er regiert – energisch und humorvoll, unfeierlich und lässig.«
Wer die »Feuertaufe« bei der »Gruppe 47« bestand oder gar den Preis bekam, machte damit fast ausnahmslos einen großen Schritt auf der literarischen Karriereleiter. Das belegen Namen wie Heinrich Böll, Ingeborg Bachmann, Günter Grass, Uwe Johnson, Siegfried Lenz, Peter Rühmkorf oder Martin Walser.
Heute ist unbestritten, dass die »Gruppe 47« das literarische Leben und damit die deutsche Literatur der Nachkriegszeit entscheidend mitgestaltete. Aber nach 20 Jahren gab es eine neue junge Generation, die an den Vorstellungen und Ritualen der Gruppe Kritik übte. Einer von ihnen war der 24-jährige Peter Handke, der 1966 auf dem »Feuerstuhl« saß und die Gelegenheit für eine, eigentlich nicht erlaubte, Rede nutzte. »Ich bemerke, daß in der gegenwärtigen deutschen Prosa eine Art Beschreibungsimpotenz vorherrscht. Man sucht sein Heil in einer bloßen Beschreibung, was von Natur aus schon das billigste ist, womit man überhaupt nur Literatur machen kann. Wenn man nichts mehr weiß, dann kann man immer noch Einzelheiten beschreiben. [...] Und die Kritik ist damit einverstanden, weil eben ihr überkommenes Instrumentarium noch für diese Literatur ausreicht, gerade noch ausreicht.[...] Weil die Kritik ebenso läppisch ist wie diese läppische Literatur.«
Mit dieser Rede verursachte Handke einen Skandal und trug vermutlich mit dazu bei, dass sich die »Gruppe 47« langsam auflöste.

Heinrich Böll und Günter Grass

Mit der Gründung der Bundesrepublik Deutschland und der Deutschen Demokratischen Republik im Jahre 1949 war die staatenlose Nachkriegszeit vorbei. 40 lange Jahre gab es nun zwei Deutschland, die sich politisch, wirtschaftlich und kulturell völlig unterschiedlich entwickelten.
Im Westen führte die großzügige amerikanische Aufbaufinanzierung, verbunden mit dem sprichwörtlichen Fleiß der Menschen, zu einem so kräftigen Wachstumsschub, dass man schon nach wenigen Jahren von einem »Wirtschaftswunder« sprach. Bald ging es den Westdeutschen – zumindest materiell – besser als je zuvor.
Wachstum, Konsum und Wohlstand waren die neuen Götzen, um die sich das Leben drehte. Die Vergangenheit wurde verdrängt und von der »schmutzigen Politik« ließ man die Finger. Dass in Wirtschaft, Regierung und Verwaltung viele alte Nazis wieder in Amt und Würden gelangten, nahm man in Kauf – wenn man es nicht sogar begrüßte.
Der Schriftsteller, der diese Entwicklung in Erzählungen, Romanen, Hörspielen und Essays mehr als andere zu seinem Thema machte, war Heinrich Böll (1917 – 1985). In seiner 1955 erschienenen Erzählung *Das Brot der frühen Jahre* zeigt er, wie brüchig die Grundlagen des Wirtschaftswunderlandes in sozialer und menschlicher Hinsicht sind. Der Ich-Erzähler Walter Fendrich ist in seinem Beruf als Waschmaschinen-Monteur erfolgreich und hat durch die Bezie-

Heinrich Böll

hung zur Tochter seines Chefs die Chance, weiter nach oben zu kommen. Da begegnet er Hedwig, einer Bekannten aus der Kindheit, und mit ihr einer Liebe, die sein Leben radikal ändert.

Später dachte ich oft darüber nach, wie alles gekommen wäre, wenn ich Hedwig nicht am Bahnhof abgeholt hätte: Ich wäre in ein anderes Leben eingestiegen, wie man aus Versehen in einen anderen Zug einsteigt, ein Leben, das mir damals, bevor ich Hedwig kannte, als ganz passabel erschien. So nannte ich es jedenfalls, wenn ich mit mir selbst darüber sprach, aber dieses Leben, das für mich bereitstand wie der Zug auf der anderen Seite des Bahnsteigs, der Zug, den man fast genommen hätte, dieses Leben lebe ich jetzt in meinen Träumen, und ich weiß, daß die Hölle geworden wäre, was mir damals ganz passabel erschien.
[...]
In dieser halben Minute, in der ich hinter ihr herging, dachte ich daran, daß ich sie besitzen würde und daß ich, um sie zu besitzen, alles zerstören würde, was mich daran hindern könnte. Ich sah mich Waschmaschinen zertrümmern, sie mit einem zehnpfündigen Hammer zusammenschlagen.

Walter Fendrich lässt sein bisheriges Leben Revue passieren, und während er sich erinnert, erkennt er, dass er auf dem falschen Weg war. Er bricht aus der profit- und konsumorientierten Gesellschaft aus, weil ihre Normen und Wertvorstellungen ein menschliches, sinnerfülltes Leben nicht zulassen. »[...] ich wußte, daß ich nicht vorwärtskommen wollte, zurückkommen wollte ich, wohin wußte ich nicht, aber zurück.« So endet die Erzählung, deren Grundgedanken Böll acht Jahre später in seinem Roman *Ansichten eines Clowns* noch einmal aufnimmt. Auch in diesem Roman kann und will der Ich-Erzähler Hans Schnier sich den herrschenden politischen, gesellschaftlichen und religiösen Konventionen nicht fügen, weil er sie für verlogen hält. Als Sohn eines rheinischen Industriellen hat er freiwillig auf alle Vorteile und Möglichkeiten verzichtet, die ihm sein Elternhaus bot, und ist Clown geworden, um den Menschen einen Spiegel vorhalten und ihnen die ungeschminkte Wahrheit sagen zu können. Aber er scheitert auf der ganzen Linie und wird zum Bettler.

In einer verwalteten Welt, in der es vor allem auf reibungslose Abläufe ankommt, stören Menschen, die nicht reibungslos funktionieren; sie werden an den Rand gedrängt, abgeschoben. Und genau sie stehen im Mittelpunkt der Böll'schen Geschichten. Ihnen gehört seine Sympathie.

Weil sich Böll nicht nur in seinem Werk, für das er 1972 mit dem Nobelpreis ausgezeichnet wurde, der »Randfiguren« annahm und für eine humane Gesellschaft eintrat, sondern das Gleiche auch als engagierter Bürger tat, wurde er von vielen als moralische Instanz und als »Gewissen der Nation« gesehen.

Ähnlich engagiert war auch sein zehn Jahre jüngerer Kollege Günter Grass (geb. 1927). Und wie man Goethe und Schiller in einem Atemzug nennt, wenn man von großer Dichtung vergangener Zeiten spricht, so werden Böll und Grass genannt, wenn es um die Literatur der Bundesrepublik geht.

Anders als Böll, der die literarische Bühne leise und Schritt für Schritt betrat, begann Grass im wahrsten Sinne des Wortes mit einem Paukenschlag. Sein Roman *Die Blechtrommel* erregte sofort nach Erscheinen im Jahre 1959 großes Aufsehen, wurde von den einen als obszönes Machwerk verteufelt, von anderen als das literarische Ereignis der jungen Bundesrepublik gefeiert. Da war endlich wieder einer, der vor erzählerischer Kraft nur so strotzte und seine Fabulierkunst kaum bändigen konnte. Das zeigt sich schon an der Hauptfigur. Der Ich-Erzähler Oskar Matzerath, der als 30-jähriger »Insasse einer Heil- und Pflegeanstalt« seine Lebensgeschichte aufschreibt, ist nicht einfach ein Simplicius, ein Narr, ein Zwerg, ein Gnom, ein Däumling, er ist eine Mischung aus allen. Schon bei der Geburt im Vollbesitz seines Verstandes, passt ihm die kleinbürgerliche Welt, in die er hineingeboren wird, überhaupt nicht.

Günter Grass

Einsam und unverstanden lag Oskar unter den Glühbirnen, folgerte, daß das so bleibe, bis sechzig, siebenzig Jahre später ein endgültiger Kurzschluß aller Lichtquellen Strom unterbrechen werde, verlor deshalb die Lust, bevor dieses Leben unter den Glühbirnen anfing; und nur die in Aussicht gestellte Blechtrommel hinderte mich damals, dem Wunsch nach Rückkehr in meine embryonale Kopflage stärkeren Ausdruck zu geben.
Zudem hatte die Hebamme mich schon abgenabelt; es war nichts mehr zu machen.

Von Anfang an wehrt er sich also gegen diese Welt und beschließt als Dreijähriger, sich ihr zu entziehen, indem er nicht mehr wächst.
Aus der Perspektive dieses »permanent Dreijährigen, aber auch Dreimalklugen« erzählt Grass die Geschichte der ersten Hälfte des 20. Jahrhunderts, wie sie bis dahin noch nie erzählt worden war. Für Oskar gibt es nämlich keine Tabus. Er führt den Leser mit ungeheurer Direktheit, die sich weder vor Ekel erregenden Details noch vor derber Erotik

oder drastischer Umgangssprache scheut, durch eine pralle, bunte, böse, komische, wilde, schreckliche Welt und entlarvt dabei die Borniertheit der Mächtigen ebenso wie den kleinbürgerlichen Mief. In diesem Roman gibt es zahlreiche Episoden, die schon für sich erzählerische Meisterleistungen sind. In einer solchen bringt der Schelm Oskar allein mit seiner Trommel eine perfekt organisierte Veranstaltung der Nationalsozialisten ins Wanken. Er versteckt sich unter der Tribüne und beobachtet durch ein Astloch, wie sich der Spielmannszug nähert. Ganz nebenbei wird auch das Publikum als eine Masse von Mitläufern beschrieben, die den Nationalsozialismus letztlich erst möglich gemacht haben.

Das stand und berührte sich mit Ellenbogen und Sonntagskleidung, das war zu Fuß gekommen oder mit der Straßenbahn, das hatte zum Teil die Frühmesse besucht und war dort nicht zufriedengestellt worden, das war gekommen, um seiner Braut am Arm etwas zu bieten, das wollte mit dabei sein, wenn Geschichte gemacht wird, und wenn auch der Vormittag dabei draufging. Nein, sprach sich Oskar zu, sie sollen den Weg nicht umsonst gemacht haben. [...]
Die Trommel lag mir schon maßgerecht. Himmlisch locker ließ ich die Knüppel in meinen Händen spielen und legte mit Zärtlichkeit in den Handgelenken einen kunstreichen, heiteren Walzertakt auf mein Blech, den ich immer eindringlicher, Wien und die Donau beschwörend, laut werden ließ, bis oben die erste und zweite Landsknechttrommel an meinem Walzer Gefallen fand, auch Flachtrommeln der älteren Burschen mehr oder weniger geschickt mein Vorspiel aufnahmen. Dazwischen gab es zwar Unerbittliche, die kein Gehör hatten, die weiterhin Bumbum machten, und Bumbumbum, während ich doch den Dreivierteltakt meinte, der so beliebt ist beim Volk. Schon wollte Oskar verzweifeln, da ging den Fanfaren ein Lichtchen auf, und die Querpfeifen, oh Donau, pfiffen so blau. Nur der Fanfarenzugführer

und auch der Spielmannszugführer, die glaubten nicht an den Walzerkönig und schrien ihre lästigen Kommandos, aber ich hatte die abgesetzt, das war jetzt meine Musik. Und das Volk dankte es mir. Lacher wurden laut vor der Tribüne, da sangen schon welche mit, oh Donau, und über den ganzen Platz, so blau, bis zur Hindenburgallee, so blau und zum Steffenspark, so blau, hüpfte mein Rhythmus, verstärkt durch das über mir vollaufgedrehte Mikrophon. Und als ich durch mein Astloch hindurch ins Freie spähte, doch dabei fleißig weitertrommelte, bemerkte ich, daß das Volk an meinem Walzer Spaß fand, aufgeregt hüpfte, es in den Beinen hatte: Schon neun Pärchen und noch ein Pärchen tanzten, wurden vom Walzerkönig gekuppelt. Nur dem Löbsack, der mit Kreisleitern und Sturmbannführern, mit Forster, Greiser und Rauschning, mit einem langen braunen Führungsstabschwanz mitten in der Menge kochte, vor dem sich die Gasse zur Tribüne schließen wollte, lag erstaunlicherweise der Walzertakt nicht. Der war gewohnt, mit gradliniger Marschmusik zur Tribüne geschleust zu werden. Dem nahmen nun diese leichtlebigen Klänge den Glauben ans Volk. [...]
Selbst als ich meinem Blech schon die langverdiente Ruhe gönnte, wollten die Trommelbuben noch immer kein Ende finden. Es brauchte seine Zeit, bis mein musikalischer Einfluß nachzuwirken aufhörte.
Dann bleibt noch zu sagen, daß Oskar das Innere der Tribüne nicht sogleich verlassen konnte, da Abordnungen der SA und SS über eine Stunde lang mit Stiefeln gegen Bretter knallten, sich Ecklöcher ins braune und schwarze Zeug rissen, etwas im Tribünengehäuse zu suchen schienen: einen Sozi womöglich oder einen Störtrupp der Kommune. Ohne die Finten und Täuschungsmanöver Oskars aufzählen zu wollen, sei hier kurz festgestellt: Sie fanden Oskar nicht, weil sie Oskar nicht gewachsen waren.

Wie Heinrich Böll war und ist auch Günter Grass kein Bewohner des Elfenbeinturms. Wie jener mischte sich dieser in seinem Werk und als kritischer Bürger in öffentliche Diskussionen ein und ergriff auch politisch Partei. Von 1961 bis Mitte der siebziger Jahre tat er das in einer sozialdemokratischen Wählerinitiative, weil er auch praktisch mithelfen wollte, die in seinen Augen falsche Politik der Konservativen durch eine neue und bessere Politik zu ersetzen. Und bis heute ist er ein streitlustiger Autor und Bürger, der den Mächtigen auf die Finger schaut und ihnen in öffentlichen Stellungnahmen die Leviten liest, wenn er es für nötig hält. Kurz vor der Jahrtausendwende erhielt Günter Grass, 40 Jahre nach dem Erscheinen des Jahrhundertbuches *Die Blechtrommel*, den Literaturnobelpreis.

Max Frisch und Friedrich Dürrenmatt

Zwei der wichtigsten Schriftsteller nach 1945 sind Max Frisch (1911 – 1991) und Friedrich Dürrenmatt (1921 – 1990). Gewöhnlich werden beide stillschweigend der deutschen Literatur zugerechnet, obwohl sie Schweizer waren. Weil das nicht korrekt ist, verwendet man besser den Begriff »deutschsprachige Literatur«. Hierbei geht es nicht um die Nationalität eines Autors, sondern allein um die Sprache, in der er schreibt. Und für die deutschsprachige Literatur sind Frisch und Dürrenmatt von großer Bedeutung, als Dramatiker ebenso wie als Erzähler.
Max Frisch hat in seinen wichtigsten Romanen *Stiller* (1954) und *Homo Faber* (1957) die Suche des modernen Menschen nach seiner Identität thematisiert.

Ich bin nicht Stiller! – Tag für Tag, seit meiner Einlieferung in dieses Gefängnis, das noch zu beschreiben sein wird, sage ich es, schwöre ich es und fordere Whisky, ansonst ich jede weitere Aussage verweigere. Denn ohne Whisky, ich hab's ja erfahren, bin ich nicht ich selbst, sondern neige dazu, allen möglichen guten Einflüssen zu erliegen und eine Rolle zu spielen, die ihnen so passen möchte, aber nichts mit mir zu tun hat, und da es jetzt in meiner unsinnigen Lage (sie halten mich für einen verschollenen Bürger ihres Städtchens!) einzig und allein darum geht, mich nicht beschwatzen zu lassen und auf der Hut zu sein gegenüber allen ihren freundlichen Versuchen, mich in eine fremde Haut zu stecken, unbestechlich zu sein bis zur Grobheit, ich sage: da es jetzt einzig und allein darum geht, niemand anders zu sein als der Mensch, der ich in Wahrheit leider bin, so werde ich nicht aufhören, nach Whisky zu schreien, sooft sich jemand meiner Zelle nähert. Übrigens habe ich bereits vor Tagen melden lassen,

es brauche nicht die allererste Marke zu sein, immerhin eine trinkbare, ansonst ich eben nüchtern bleibe, und dann können sie mich verhören, wie sie wollen, es wird nichts dabei herauskommen, zumindest nichts Wahres. Vergeblich! Heute bringen sie mir dieses Heft voll leerer Blätter: Ich soll mein Leben niederschreiben! wohl um zu beweisen, daß ich eines habe, ein anderes als das Leben ihres verschollenen Herrn Stiller.
»Sie schreiben einfach die Wahrheit«, sagt mein amtlicher Verteidiger, »nichts als die schlichte und pure Wahrheit.«

Stiller beginnt nun mit tagebuchartigen Aufzeichnungen über sein Leben. Dabei wird schrittweise deutlich, dass er in seinem Beruf als Bildhauer ebenso versagt hat wie als Freiwilliger im Spanischen Bürgerkrieg und später als Ehepartner und Liebhaber. Aus diesem gescheiterten Leben wollte er fliehen und sich in Amerika eine neue Identität aufbauen. Dort irrte er sechs Jahre lang umher und kehrte nach einem misslungenen Selbstmordversuch unter dem falschen Namen Jim White in die Schweiz zurück, wo er bei der Einreise verhaftet wurde.
Schreibend setzt sich Stiller immer mehr mit sich selbst auseinander. Einmal notiert er:

Wir leben in einem Zeitalter der Reproduktion. Das allermeiste in unserem persönlichen Weltbild haben wir nie mit eigenen Augen erfahren, genauer: wohl mit eigenen Augen, doch nicht an Ort und Stelle; wir sind Fernseher, Fernhörer, Fernwisser. Man braucht dieses Städtchen nie verlassen zu haben, um die Hitlerstimme noch heute im Ohr zu haben, um den Schah von Persien aus drei Meter Entfernung zu kennen und zu wissen, wie der Monsun über den Himalaja heult oder wie es tausend Meter unter dem Meeresspiegel aussieht. Kann heutzutage jeder wissen. [...] Und mit dem menschlichen Innenleben ist es genau so. Kann heutzutage jeder wissen. [...] Was für ein Zeitalter! Es heißt überhaupt nichts mehr, Schwertfische gesehen zu haben, eine Mulattin geliebt zu haben, all dies kann auch in einer Kulturfilm-Matinée geschehen sein.

Stiller erkennt, dass der Mensch »im Zeitalter der Reproduktion« aus zweiter oder gar dritter Hand lebt und gar kein Original mehr ist. Max Frisch hat dazu in einem »Werkstattgespräch« gesagt: »Jeder Mensch erfindet sich früher oder später eine Geschichte, die er, oft unter gewaltigen Opfern, für sein Leben hält, oder eine Reihe von Geschichten, die mit Namen und Daten zu belegen sind, so daß an ihrer Wirklichkeit, so scheint es, nicht zu zweifeln ist.«
Genau das tut auch Stiller. Er tauscht seine erste Lebensgeschichte gegen eine zweite aus. Aber sein Versuch, »sich in etwas anderes umzudichten«, scheitert, denn die erste Fassung hat er ja nicht isoliert erlebt, sondern zusammen mit anderen Menschen. Und sie sind ein Teil von ihm wie er von ihnen, sie lassen ihn niemand anders sein.
Genau umgekehrt ist es in *Andorra*, einem »Stück in zwölf Bildern«, das 1961 in Zürich uraufgeführt wurde. Die Andorraner halten den jungen Andri für einen Juden. Weil sie zu wissen glauben, wie Juden sind, haben sie auch ein Bild von Andri. Und ständig entdecken sie Eigenschaften und Verhaltensweisen an ihm, die dieses Bild bestätigen. Sie reden ihm ein, dass er anders ist als sie. Bis er »das Jüdische« an sich selber zu entdecken glaubt, sein Anderssein annimmt und ihrem Bild entspricht. Am Schluss wird er von den »Schwarzen«, die Andorra besetzt haben und judenfrei machen wollen, ausgesondert und »liquidiert«.
Das Stück läuft wie eine Gerichtsverhandlung ab. Nacheinander kommen die Andorraner vor den Vorhang, treten an die Zeugenschranke und verteidigen sich. Bis auf den Pater

leugnen alle ihre Mitschuld am Tod Andris. Zwischen den Aussagen wird auf der Bühne vorgeführt, wie es wirklich war.

Frisch nennt Andorra »ein Modell«. An diesem Modell will er zeigen, wie anfällig Menschen für Vorurteile und wie leicht sie zu manipulieren sind. »Modell« und »zeigen« sind Begriffe, die an Brechts episches Theater erinnern. Und tatsächlich wurde der Dramatiker Frisch stark von Brecht beeinflusst. Als Brecht 1948 ein halbes Jahr in Zürich lebte, trafen sich die beiden häufig. Frisch notierte in seinem Tagebuch: »Der Umgang mit Brecht, anstrengend wie wohl jeder Umgang mit einem Überlegenen, dauert nun ein halbes Jahr. [...] Brecht sucht das Gespräch ganz allgemein. Meinerseits habe ich dort, wo Brecht mit seiner Dialektik mattsetzt, am wenigsten von unserem Gespräch; man ist geschlagen, aber nicht überzeugt. Auf dem nächtlichen Heimweg, seine Glossen überdenkend, verliere ich mich nicht selten in einen unwilligen Monolog: Das stimmt ja alles nicht.«

Diese Zeilen machen deutlich, dass Frisch dem »Überlegenen« nicht einfach nachfolgte, sondern seinen eigenen Weg suchte. Vor allem war er sehr viel skeptischer, was die verändernde Kraft der Literatur betrifft. »Millionen von Zuschauern haben Brecht gesehen und werden ihn wieder und wieder sehen, daß einer dadurch seine politische Denkweise geändert hat, oder auch nur einer Prüfung unterzieht, wage ich zu bezweifeln«, schrieb er 1967 in einem Aufsatz. Durch Literatur werde die Welt nicht verändert, aber der Schrift-

Max Frisch

steller könne sie in Frage stellen. »Wir erstellen auf der Bühne nicht eine bessere Welt, aber eine durchschaubare, eine Welt, die Varianten zuläßt, insofern eine veränderbare, veränderbar wenigstens im Kunstraum.«
Auch Friedrich Dürrenmatt rieb sich an Brecht, distanzierte sich theoretisch von ihm, ohne sich völlig von ihm lösen zu können. In seiner Schrift *Theaterprobleme* schrieb Dürrenmatt 1955: »Der heutige Staat ist unüberschaubar, anonym, bürokratisch geworden, und dies nicht etwa nur in Moskau oder Washington, sondern auch schon in Bern.« Deswegen sei der Brecht'sche Ansatz, »daß der Mensch die Welt verändern könne und müsse, für den Einzelnen unrealisierbar geworden«.

Friedrich Dürrenmatt

Dürrenmatt machte sich auch Gedanken darüber, welche Dramenform der modernen Welt angemessen sei. Die reine Tragödie sei nicht mehr möglich, weil sie Schuld, Not, Maß, Übersicht, Verantwortung voraussetze. »In der Wurstelei unseres Jahrhunderts, in diesem Kehraus der weißen Rasse, gibt es keine Schuldigen und auch keine Verantwortlichen mehr. Alle können nichts dafür und haben es nicht gewollt. [...] uns kommt nur noch die Komödie bei. Unsere Welt hat ebenso zur Groteske geführt wie zur Atombombe.«
Also schreibt Dürrenmatt Komödien, groteske Komödien. Das Groteske ist für ihn ein Mittel zur »Verfremdung«; dadurch sollen wenigstens Teile der undurchschaubaren Wirklichkeit sichtbar und deutlich werden. Besonders gut gelungen ist ihm das mit seinem Stück *Der Besuch der alten*

Dame, das nach der Uraufführung in Zürich 1956 ein Welterfolg wurde.
Klara Wäscher und Alfred Ill haben sich in ihrer Jugend geliebt. Als sie ein Kind erwartete, stritt er die Vaterschaft ab, bestach zwei junge Männer, die schworen, mit Klara geschlafen zu haben. Sie musste ihr Heimatstädtchen Güllen verlassen und schwor sich, eines Tages zurückzukommen. In Amerika wurde sie sehr reich und hat Güllens Wirtschaft heimlich aufgekauft und lahm gelegt. Als Multimilliardärin Claire Zachanassian kehrt sie im Alter in das völlig verarmte Städtchen zurück und ist bereit, Güllen eine Milliarde zu schenken – allerdings unter einer Bedingung ...

Claire Zachanassian: Ich will die Bedingung nennen. Ich gebe euch eine Milliarde und kaufe mir dafür die Gerechtigkeit.
Totenstille.
Der Bürgermeister: Wie ist dies zu verstehen, gnädige Frau?
Claire Zachanassian: Wie ich es sagte.
Der Bürgermeister: Die Gerechtigkeit kann man doch nicht kaufen!
Claire Zachanassian: Man kann alles kaufen.
Der Bürgermeister: Ich verstehe immer noch nicht.
[...]
Claire Zachanassian: Ich kann sie mir leisten. Eine Milliarde für Güllen, wenn jemand Alfred Ill tötet.
Totenstille. Frau Ill stürzt auf Ill zu, umklammert ihn.
Frau Ill: Fredi!
Ill: Zauberhexchen! Das kannst du doch nicht fordern! Das Leben ging doch längst weiter!
Claire Zachanassian: Das Leben ging weiter, aber ich habe nichts vergessen, Ill. Weder den Konradsweilerwald noch die Petersche Scheune, weder die Schlafkammer der Witwe Boll noch deinen Verrat. Nun sind wir alt geworden, beide, du verkommen und ich von den Messern der Chirurgen zerfleischt, und

jetzt will ich, daß wir abrechnen, beide: Du hast dein Leben gewählt und mich in das meine gezwungen. Du wolltest, daß die Zeit aufgehoben würde, eben, im Wald unserer Jugend, voll von Vergänglichkeit. Nun habe ich sie aufgehoben, und nun will ich Gerechtigkeit, Gerechtigkeit für eine Milliarde.

Der Bürgermeister steht auf, bleich, würdig.

Der Bürgermeister: Frau Zachanassian: Noch sind wir in Europa, noch sind wir keine Heiden. Ich lehne im Namen der Stadt Güllen das Angebot ab. Im Namen der Menschlichkeit. Lieber bleiben wir arm, denn blutbefleckt.

Riesiger Beifall.

Claire Zachanassian: Ich warte.

Die anfängliche Empörung der Güllener über das unmoralische Angebot wird bald leiser. Und Ill muss mit ansehen, wie sie immer mehr kaufen – alles auf Kredit. Weil er weiß, was das bedeutet, verlangt er die Verhaftung von Claire Zachanassian. Der Polizist und der Bürgermeister wollen ihn beruhigen: »Sie vergessen, daß Sie sich in Güllen befinden. In einer Stadt mit humanistischer Tradition. Goethe hat hier übernachtet. Brahms ein Quartett komponiert. Diese Werte verpflichten.«

Aber Ill sieht immer deutlicher, dass das nur Phrasen sind. »Die Stadt macht Schulden. Mit den Schulden steigt der Wohlstand. Mit dem Wohlstand die Notwendigkeit, mich zu töten. Und so braucht die Dame nur auf ihrem Balkon zu sitzen, Kaffee zu trinken, Zigarren zu rauchen und zu warten. Nur zu warten.«

Sie muss nicht allzu lange warten. Denn mit dem steigenden Wohlstand auf Pump sinkt die moralische Hemmschwelle. Trotzdem will niemand Ill töten, und so bittet ihn der Bürgermeister, es selbst zu tun. Aber Ill, der inzwischen seine Schuld einsieht und zur Sühne bereit ist, entgegnet ihm:

Ill: Ihr müßt nun meine Richter sein. Ich unterwerfe mich eurem Urteil, wie es nun auch ausfalle. Für mich ist es die Gerechtigkeit, was es für euch ist, weiß ich nicht. Gott gebe, daß ihr vor eurem Urteil besteht. Ihr könnt mich töten. Ich klage nicht, protestiere nicht, wehre mich nicht, aber euer Handeln kann ich euch nicht abnehmen.

Der Bürgermeister nimmt das Gewehr wieder zu sich.

Der Bürgermeister: Schade. Sie verpassen die Chance, sich reinzuwaschen, ein halbwegs anständiger Mensch zu werden. Doch das kann man von Ihnen ja nicht verlangen.

Etwas später ruft der Bürgermeister die Gemeinde von Güllen zusammen. Dabei hält der Lehrer eine Rede:

Gemeinde von Güllen! Dies der bittere Tatbestand: Wir duldeten die Ungerechtigkeit. Ich erkenne nun durchaus die materielle Möglichkeit, die uns die Milliarde bietet; ich übersehe keineswegs, daß die Armut die Ursache von so viel Schlimmem, Bitterem ist, und dennoch: Es geht nicht um Geld, – *Riesenbeifall* – es geht nicht um Wohlstand und Wohlleben, nicht um Luxus, es geht darum, ob wir Gerechtigkeit verwirklichen wollen, und nicht nur sie, sondern auch all die Ideale, für die unsere Altvordern gelebt und gestritten hatten und für die sie gestorben sind, die den Wert unseres Abendlandes ausmachen – *Riesenbeifall!* Die Freiheit steht auf dem Spiel, wenn die Nächstenliebe verletzt, das Gebot, die Schwachen zu schützen, mißachtet, die Ehe beleidigt, ein Gericht getäuscht, eine junge Mutter ins Elend gestoßen wird – *Pfuirufe.* Mit unseren Idealen müssen wir nun eben in Gottes Namen Ernst machen, blutigen Ernst – *Riesenbeifall.*

In einer Anmerkung zu dieser »tragischen Komödie« schrieb Dürrenmatt: »*Der Besuch der alten Dame* ist eine Geschichte, die sich irgendwo in Mitteleuropa in einer kleinen Stadt ereignet, geschrieben von einem, der sich von diesen Leuten durchaus nicht distanziert und der nicht so sicher ist, ob er anders handeln würde.«

Sind Gedichte noch zeitgemäß?

»Nach Auschwitz ein Gedicht zu schreiben, ist barbarisch.« Dieser berühmte und oft zitierte Satz des in die Emigration getriebenen Philosophen Theodor W. Adorno hinderte Dichterinnen und Dichter allerdings nicht daran, es doch zu tun. Eine von ihnen war die Klagenfurterin Ingeborg Bachmann (1926 – 1973). Diese junge Österreicherin beeindruckte gleich bei ihrem ersten Auftritt 1952 die »Gruppe 47« mit ihren Gedichten. Und ein Jahr später war sie Preisträgerin. Als ihr Gesicht dann auch noch das »Spiegel«-Cover zierte, war sie mit einem Schlage berühmt und wurde ein literarischer Star. Ihre beiden ersten Gedichtbände *Die gestundete Zeit* (1953) und *Anrufung des Großen Bären* (1956) machten sie zur bedeutendsten Vertreterin einer modernen deutschsprachigen Poesie.

Ingeborg Bachmann

Ihr Worte, auf, mir nach!,
und sind wir auch schon weiter,
zu weit gegangen, geht's noch einmal
weiter, zu keinem Ende geht's.

Mit Hilfe der Worte, der Sprache wollte Ingeborg Bachmann Grenzen überschreiten. »Im Widerspiel des Unmöglichen mit dem Möglichen erweitern wir unsere Möglichkeiten«, schrieb sie dazu. Ihre ungewöhnliche Sprach- und Bilderkraft und die Musikalität vieler Gedichte zogen die

Leser in ihren Bann, trotz, vielleicht auch gerade wegen des oft dunklen, schwermütigen Grundtons.

Es kommen härtere Tage.
Die auf Widerruf gestundete Zeit
wird sichtbar am Horizont.
Bald mußt du den Schuh schnüren
und die Hunde zurückjagen in die Marschhöfe.

Auf- und Ausbruch aus einer als hart und kalt empfundenen Welt – aber wohin?

Reklame

Wohin aber gehen wir
ohne sorge sei ohne sorge
wenn es dunkel und wenn es kalt wird
sei ohne sorge
aber
mit musik
was sollen wir tun
heiter und mit musik
und denken
heiter
angesichts eines Endes
mit musik
und wohin tragen wir
am besten
unsre Fragen und den Schauer aller Jahre
in die Traumwäscherei ohne sorge sei ohne sorge
was aber geschieht
am besten
wenn Totenstille

eintritt

Schon in den fünfziger Jahren, als der Einfluss der Werbung auf die Menschen noch nicht annähernd so gewaltig war wie heute, komponierte und »montierte« Ingeborg Bachmann dieses Gedicht. Es beschreibt auf unnachahmliche Weise die zunehmende Vereinsamung des Menschen in einer Scheinwelt der Reklame und des Konsums.
Aber nicht nur den Menschen, nein die Erde sah sie gefährdet.

Freies Geleit

Mit schlaftrunkenen Vögeln
und winddurchschossenen Bäumen
steht der Tag auf, und das Meer
leert einen schäumenden Becher auf ihn.

Die Flüsse wallen ans große Wasser,
und das Land legt Liebesversprechen
der reinen Luft in den Mund
mit frischen Blumen.

Die Erde will keinen Rauchpilz tragen,
kein Geschöpf ausspeien vorm Himmel,
mit Regen und Zornesblitzen abschaffen
die unerhörten Stimmen des Verderbens.

Mit uns will sie die bunten Brüder
und grauen Schwestern erwachen sehn,
den König Fisch, die Hoheit Nachtigall
und den Feuerfürsten Salamander.

Für uns pflanzt sie Korallen ins Meer.
Wäldern befiehlt sie, Ruhe zu halten,
dem Marmor, die schöne Ader zu schwellen,
noch einmal dem Tau, über die Asche zu gehn.

Die Erde will ein freies Geleit ins All
jeden Tag aus der Nacht haben,
daß noch tausend und ein Morgen wird
von der alten Schönheit jungen Gnaden.

Ingeborg Bachmann fühlte sich oft missverstanden, weil ihre Gedichte von vielen nur wegen der sprachlichen Schönheit gelobt wurden. Ihre Angst vor den Gefährdungen des Menschen und der Natur wurde damals lieber übersehen. Deshalb entschloss sie sich nach zehn Jahren, keine Gedichte mehr zu veröffentlichen.

Wie Ingeborg Bachmann, und nur wenige Jahre nach ihr, erregte Hans Magnus Enzensberger (geb. 1929) mit seinen Gedichten Aufsehen. Von Anfang an wehrte er sich gegen eine Lyrik, die nur zum Ziel hat, Sprachkunstwerke zu schaffen, und dabei die politische und gesellschaftliche Wirklichkeit samt ihrer Sprache außer Acht lässt. »Ich kann, wenn ich einen Vers mache, nicht reden, ohne von etwas zu reden«, notierte er. Gedichte sollen Sachverhalte aufzeigen, der Leser solle sie »gebrauchen« können, weshalb Enzensberger seine Gedichte auch »Gebrauchsgegenstände« nannte. »Der Leser wird höflich ermahnt, zu erwägen, ob er beipflichten oder widersprechen möchte.« Damit knüpfte er an die theoretische Position von Bertolt Brecht an und manche seiner frühen Gedichte erinnern auch an Brechts Lyrik.

Hans Magnus Enzensberger

Ins Lesebuch für die Oberstufe

Lies keine Oden, mein Sohn, lies die Fahrpläne:
sie sind genauer. Roll die Seekarten auf,
eh es zu spät ist. Sei wachsam, sing nicht.
Der Tag kommt, wo sie wieder Listen ans Tor
schlagen und malen den Neinsagern auf die Brust
Zinken. Lern unerkannt gehn, lern mehr als ich:
das Viertel wechseln, den Paß, das Gesicht.
Versteh dich auf den kleinen Verrat,
die tägliche schmutzige Rettung. Nützlich
sind die Enzykliken zum Feueranzünden,
die Manifeste: Butter einzuwickeln und Salz
für die Wehrlosen. Wut und Geduld sind nötig,
in die Lungen der Macht zu blasen
den feinen tödlichen Staub, gemahlen
von denen, die viel gelernt haben,
die genau sind, von dir.

Obwohl Enzensberger den schönen Worten und Formen also misstraute und in seinen Gedichten von Sachverhalten reden wollte, tat er das in einer poetischen Sprache. Denn auch für eine politische Lyrik forderte er literarische Qualität; das richtige Bewusstsein mache einen Text nicht schon zu einem poetischen. Das hat ihm die Kritik der Linken eingebracht. Von rechts wurde er wegen der Inhalte kritisiert. In seinem dritten Gedichtband *blindenschrift* von 1964 heißt es dazu:

Ich höre aufmerksam meinen Feinden zu.
Wer sind meine Feinde?
Die Schwarzen nennen mich weiß,
die Weißen nennen mich schwarz.
Das höre ich gern. Es könnte bedeuten:

Ich bin auf dem richtigen Weg.
(Gibt es einen richtigen Weg?)

Enzensberger ließ sich von niemandem vereinnahmen, er war und ist ein unabhängiger Geist, der die Leute immer wieder überrascht – zuletzt mit einigen viel beachteten Kinderbüchern.

Schon 1960 schrieb Alfred Andersch: »Es gibt für den Auftritt Hans Magnus Enzensbergers auf der Bühne des deutschen Geistes keinen anderen Vergleich als die Erinnerung an das Erscheinen von Heinrich Heine.« Und wie Heine mischte sich Enzensberger mit seinem scharfen Verstand immer wieder ein »in diesem Land/wo es aufwärts/geht, aber nicht vorwärts«.

Neben seinen Gedichten veröffentlichte Enzensberger auch zahlreiche Essays, in denen er sich unter anderem mit der westdeutschen »Bewußtseins-Industrie« vom »Spiegel« bis zur »FAZ« beschäftigte. Und 1965 gründete er die Zeitschrift »Kursbuch«, die er als Herausgeber zu einem Forum für linke Intellektuelle machte und zu großer Bedeutung führte. Das »Kursbuch« sollte zur »politischen Alphabetisierung Deutschlands« beitragen, wie Enzensberger es ausdrückte. Besonders interessierte ihn auch die Frage nach der Funktion von Literatur. Im berühmten »Kursbuch 15« vom November 1968 schrieb er: »Für literarische Kunstwerke läßt sich eine wesentliche gesellschaftliche Funktion in unserer Lage nicht angeben.« Und was keine gesellschaftliche Funktion, keine gesellschaftliche Relevanz hatte, wie die links orientierten 68er sagten, hatte auch keine Daseinsberechtigung. Also wurde von manchen für die bürgerliche Literatur schon das Totenglöckchen geläutet und eine neue, der Revolution dienende Literatur gefordert.

So weit ging Enzensberger nicht. Er wehrte sich auch gegen die Behauptung, er habe »den Tod der Literatur« verkündet oder gar verlangt. »In Wirklichkeit handelte der Aufsatz von einer ganz anderen Frage, nämlich davon, daß die meisten Schriftsteller, wie andere Leute auch, das Bedürfnis haben, gesellschaftlich sinnvolle Sachen zu produzieren, daß aber für rein literarische Produktionen ein solcher gesellschaftlicher Sinn sich nicht mehr nachweisen läßt.« Einen gesellschaftlichen Sinn habe Schreiben nur, wenn es mithelfe, die Gesellschaft zu verändern.
Enzensberger beharrte nicht allzu lange auf dieser Position. Er entwickelte sich weiter, was sich nicht von allen Zeitgenossen sagen lässt. Für jene, die nur eine politisch engagierte Literatur akzeptierten, schrieb er *Ein letzter Beitrag zu der Frage ob Literatur?* – als Gedicht! Darin heißt es:

[...]
die Gesellschaft verändern
Fußnoten machen, aber nicht zu viele
Klischees vermeiden
kritisches Bewußtsein entwickeln:

Liebe Brüder in Apoll,
das ist ja alles ganz schön.
Aber warum habt ihr so viel Angst
daß die Kritiker Kuckuck rufen
daß die Medien
daß die Arbeitswelt
daß der Trend?
Schon gut schon gut,
ich weiß ja.
Aber das ist doch alles kein Grund.

Ich sage euch:
Fürchtet euch nicht!
Greift in die Tasten.
Greift wohin ihr wollt!

»Nimm dir den Rauch von meinen Lippen,
nimm dir den Duft von meiner Brust,
laß mich an deinen Rosen nippen ...«
Mit gefällt sowas.
Wenigstens im Moment.
Euch nicht.
Macht was anderes!
[...]

Warum gebt ihr nicht zu
was mit euch los ist
und was euch gefällt?
Ein einziges Mal,
nur ein Vierteljahr lang,
zur Probe!
Dann wollen wir weitersehen.

Niemand tut euch was.

Ein Bewohner des Elfenbeinturms

»Es wäre mir widerlich, meine Kritik an einer Gesellschaftsordnung in eine Geschichte zu verdrehen oder in einem Gedicht zu ästhetisieren. Das finde ich die scheußlichste Verlogenheit: Sein Engagement zu einem Gedicht zu verarbeiten, Literatur daraus zu machen, statt es gerade heraus zu sagen. Das ist Ästhetizismus, und diese Art von Literatur hängt mir zum Halse heraus.«

Wie schon 1966, als er vor der »Gruppe 47« seinen Kolleginnen und Kollegen »Beschreibungsimpotenz« vorwarf und ihre Literatur »läppisch« nannte, so war Peter Handkes Urteil über die engagierte Literatur ebenso eindeutig. Überhaupt hatte man den Eindruck, dieser junge Österreicher wolle die Literatur sozusagen neu erschaffen. Als die engagierten Schriftsteller sich mit ihren Texten noch einmischten, schrieb er einen Aufsatz mit dem provokanten Titel *Ich bin ein Bewohner des Elfenbeinturms*. Darin heißt es: »Ich habe keine Themen, über die ich schreiben möchte, ich habe nur ein Thema: über mich selbst klar, klarer zu werden, mich kennenzulernen oder nicht kennenzulernen, zu lernen, was ich falsch mache, was ich falsch denke, was ich unbedacht denke, was ich unbedacht spreche, was ich automatisch spreche, was auch andere unbedacht tun, denken, sprechen.«

Peter Handke

Konsequenterweise verzichtete er in seinen ersten Romanen und Stücken auf eine fortlaufende Handlung. Seine

Publikumsbeschimpfung (1966) sollte auch kein Theaterstück im herkömmlichen Sinn sein, sondern ein »Sprechstück«. Gleich zu Beginn wird dem Publikum klar gemacht, dass es keine der üblichen Theatervorstellungen zu erwarten hat: »Hier wird nicht dem Theater gegeben, was des Theaters ist. Hier kommen Sie nicht auf Ihre Rechnung. Ihre Schaulust bleibt ungestillt. Diese Bretter bedeuten keine Welt.«
Es gibt kein Bühnenbild, keine Akte und Szenen, keine Auftritte, keine Dialoge, keine Handlung und, wie es heißt, auch keine Grenze zwischen Bühne und Zuschauerraum (was allerdings nicht stimmt, denn die vier Schauspieler sprechen von der Bühne herunter zum Publikum).

Das ist kein Drama. Hier wird keine Handlung wiederholt, die schon geschehen ist. Hier gibt es nur ein Jetzt und ein Jetzt und ein Jetzt. [...] Wir spielen keine Handlung, also spielen wir keine Zeit. Hier ist die Zeit wirklich, indem sie von einem Wort zum andern vergeht. [...] Hier wird nicht vorgegeben, daß Zeit wiederholt werden kann. [...] Hier ist die Zeit I h r e Zeit.

Thema des Abends ist das direkt angesprochene und damit einbezogene Publikum, das mit feststehenden und festlegenden Erwartungen ins Theater kommt. Diese Erwartungen sollen als unreflektierte entlarvt werden. Das kann nur durch die Sprache geschehen, weil der Einzelne mit Hilfe der Sprache sozialisiert und in das herrschende System integriert wurde, wobei er seine Individualität eingebüßt hat.

Ihr habt das Unmögliche möglich werden lassen. Ihr seid die Helden dieses Stückes gewesen. Eure Gesten sind sparsam gewesen. Ihr habt eure Figuren plastisch gemacht. Ihr habt unvergeßliche

Szenen geliefert. Ihr habt die Figuren nicht gespielt, ihr seid sie g e w e s e n . Ihr wart ein Ereignis. Ihr wart die Entdeckung des Abends. Ihr habt eure Rolle g e l e b t . Ihr hattet den Löwenanteil am Erfolg. Ihr habt das Stück gerettet. Ihr wart sehenswert. Euch muß man gesehen haben, ihr Rotzlecker.
Ihr seid immer dagewesen. Bei dem Stück hat auch euer redliches Bemühen nichts geholfen. Ihr wart nur Stichwortbringer. Bei euch ist das Größte durch Weglassen entstanden. Durch Schweigen habt ihr alles gesagt, ihr Gernegroße.
Ihr wart Vollblutschauspieler. Ihr begannt verheißungsvoll. Ihr wart lebensecht. Ihr wart wirklichkeitsnah. Ihr zogt alles in euren Bann. Ihr spieltet alles an die Wand. Ihr zeugtet von hoher Spielkultur, ihr Gauner, ihr Schrumpfgermanen, ihr Ohrfeigengesichter. Ihr wart wie aus einem Guß. Ihr hattet heute einen guten Tag. Ihr wart wunderbar aufeinander eingespielt. Ihr wart dem Leben abgelauscht, ihr Tröpfe, ihr Flegel, ihr Atheisten, ihr Liederjane, ihr Strauchritter, ihr Saujuden.
Ihr habt uns ganz neue Perspektiven gezeigt. Ihr seid mit diesem Stück gut beraten gewesen. Ihr seid über euch hinausgewachsen. Ihr habt euch freigespielt. Ihr wart verinnerlicht, ihr Massenmenschen, ihr Totengräber der abendländischen Kultur, ihr Asoziale, ihr übertünchten Gräber, ihr Teufelsbrut, ihr Natterngezücht, ihr Genickschußspezialisten.
Ihr wart unbezahlbar. Ihr wart ein Orkan. Ihr habt uns den Schauder über den Rücken gejagt. Ihr habt weggefegt, ihr KZ-Banditen, ihr Strolche, ihr Stiernacken, ihr Kriegstreiber, ihr Untermenschen, ihr roten Horden, ihr Bestien in Menschengestalt, ihr Nazischweine. Ihr wart die richtigen. Ihr wart atemberaubend. Ihr habt unsere Erwartungen nicht enttäuscht. Ihr wart die geborenen Schauspieler. Euch steckt die Freude am Spielen im Blut, ihr Schlächter, ihr Tollhäusler, ihr Mitläufer, ihr ewig Gestrigen, ihr Herdentiere, ihr Laffen, ihr Miststücke, ihr Volksfremden, ihr Gesinnungslumpen. Ihr habt eine gute Atemtechnik bewiesen, ihr Maulhelden, ihr Hurrapatrioten, ihr jüdischen Großkapitalisten, ihr Fratzen, ihr Kasperl, ihr Proleten, ihr Milchgesichter, ihr

Heckenschützen, ihr Versager, ihr Katzbuckler, ihr Leisetreter, ihr Nullen, ihr Dutzendwaren, ihr Tausendfüßler, ihr Überzähligen, ihr lebensunwerten Leben, ihr Geschmeiß, ihr Schießbudenfiguren, ihr indiskutablen Elemente. Ihr seid profilierte Darsteller, ihr Maulaffenfeilhalter, ihr vaterlandslosen Gesellen, ihr Revoluzzer, ihr Rückständler, ihr Beschmutzer des eigenen Nests, ihr inneren Emigranten, ihr Defätisten, ihr Revisionisten, ihr Revanchisten, ihr Militaristen, ihr Pazifisten, ihr Faschisten, ihr Intellektualisten, ihr Nihilisten, ihr Individualisten, ihr Kollektivisten, ihr politisch Unmündigen, ihr Quertreiber, ihr Effekthascher, ihr Antidemokraten, ihr Selbstbezichtiger, ihr Applausbettler, ihr vorsintflutlichen Ungeheuer, ihr Claqueure, ihr Cliquenbildner, ihr Pöbel, ihr Schweinefraß, ihr Knicker, ihr Hungerleider, ihr Griesgräme, ihr Schleimscheißer, ihr geistiges Proletariat, ihr Protze, ihr Niemande, ihr Dingsda.

Die Reaktionen auf das Stück waren sehr unterschiedlich. Kritisiert wurde vor allem, dass Handke im Theater Anti-Theater machen wolle, das vorgebe, kein Theater, sondern Wirklichkeit zu sein. Aber diese Wirklichkeit sei eben keine wirkliche, sondern eine von Handke gestaltete. Dieser Widerspruch, der naturgemäß nicht aufzuheben ist, veranlasste Handke dazu, das Stück 1969 für weitere Aufführungen sperren zu lassen.

In den siebziger Jahren erweiterte Handke seinen Blick und versuchte, »schreibend und beobachtend die vertrauten, abgestumpften, tagtäglich sich wiederholenden Vorgänge in eine die Aufmerksamkeit schärfende Sprache« zu fassen und »der Welt, die halb schon vergessen ist, wieder habhaft zu werden und mit den Sinnen sie neu zu beleben«.

In der Erzählung *Wunschloses Unglück* (1972) berichtet Handke sehr genau vom Leben seiner Mutter. Obwohl sie unglücklich ist, wird sie von den alltäglichen Anforderungen so stark bestimmt, daß langsam jeder Wunsch nach Veränderung in ihr abstirbt.

Auftischen, abräumen; »Sind jetzt alle versorgt?«; Vorhänge auf, Vorhänge zu; Licht an, Licht aus; »Ihr sollt nicht immer im Bad das Licht brennen lassen!«; zusammenfalten, auseinanderfalten; ausleeren, füllen; Stecker rein, Stecker raus. »So, das war's für heute.«
Die erste Maschine: ein elektrisches Bügeleisen; ein Wunderding, das man sich »schon immer gewünscht hatte«. Verlegenheit, als sei man so eines Gerätes nicht würdig. »Womit habe ich das verdient? Aber ab jetzt werde ich mich schon jedesmal auf das Bügeln freuen! Vielleicht habe ich dann auch ein bißchen mehr Zeit für mich selber?«
Der Mixer, der Elektroherd, der Kühlschrank, die Waschmaschine: immer mehr Zeit für einen selber. Aber man stand nur wie schrecksteif herum, schwindlig von dem langen Vorleben als bestes Stück und Heinzelmännchen. Auch mit den Gefühlen hatte man so sehr haushalten müssen, daß man sie höchstens noch in Versprechen äußerte und sie dann sofort überspielen sollte. Die frühere Lebenslust des ganzen Körpers zeigte sich nur noch manchmal, wenn an der stillen, schweren Hand verstohlen und schamhaft ein Finger zuckte, worauf diese Hand auch sofort von der anderen zugedeckt wurde.

Mit 51 Jahren wagt sie den Ausbruch aus diesem fremdbestimmten Leben, doch dieser Ausbruch scheint ihr nur noch als Freitod möglich: Sie nimmt sich das Leben.
1979 spricht Handke in seinem Roman *Langsame Heimkehr* von einem »Bedürfnis nach Heil«, von der Sehnsucht nach einer Welt, in der er mit sich und der Schöpfung im Einklang ist. So wird dann auch seine Erzählung *Kindergeschichte* aus dem Jahr 1981 zu einer Art Schöpfungs-

geschichte: Der Vater und das Kind. »Dazu gehörte die Vorstellung von einer wortlosen Gemeinschaftlichkeit, von kurzen Blickwechseln, einem Sich-dazu-Hocken, einem unregelmäßigen Scheitel im Haar, von Nähe und Weite in glücklicher Einheit.«

Er [der Vater] war überzeugt, daß das Kind da ein großes Gesetz verkörperte. [...] Und dafür konnte man es sachlich verehren; und dabei durften einem zuweilen auch jene Wörter über die Lippen kommen, welche man bisher, im Kino, als Pathos überhört und in den alten Schriften als ungebräuchlich überlesen hatte und die sich jetzt als die wirklichsten der Welt zeigten. Wer waren die Ahnungslosen, die sich herausnahmen, zu behaupten, daß die großen Wörter »geschichtlich« seien und mit der Zeit ihren Sinn verlören? [...] Dem Umgang mit dem Kind hatte der Erwachsene es jedenfalls zu verdanken, daß ihm die viel geschmähten großen Wörter von Tag zu Tag faßlicher wurden; man konnte sich mit ihnen nicht versteigen, sondern sie führten zu immer neuen Hochflächen.

Nun, es gab und gibt zahlreiche Stimmen, die Handke vorwerfen, bei seiner Suche nach dem »Heil« versteige er sich zuweilen doch und gerate dabei in Sphären, wo für Normalsterbliche die Luft zu dünn sei. Aber Handke geht es auch nicht darum, von solchen Leuten verstanden zu werden. Er will mit Hilfe der Sprache sich und seine Welt wieder heil machen.

Sozialistischer Realismus

Im Osten Deutschlands wurde das literarische Leben bis in die fünfziger Jahre von den zurückkehrenden Emigranten geprägt, wobei deren in der DDR gefeierte Bücher zum großen Teil noch im Exil entstanden waren. So etwa *Das siebte Kreuz*, Anna Seghers' berühmter »Roman aus Hitlerdeutschland«, der schon 1942 in Mexiko erschienen war. Sie hat sich nach ihrer Rückkehr auch zur Aufgabe der Literatur geäußert: Die Schriftsteller sollten mithelfen, »ihr Volk zum Begreifen seiner selbstverschuldeten Lage zu bringen und in ihm die Kraft zu einem anderen, einem neuen friedvollen Leben zu erwecken«.

Anna Seghers

Aber in der Deutschen Demokratischen Republik entschieden nicht die Schriftsteller und Künstler über das kulturelle Leben, sondern die Sozialistische Einheitspartei Deutschlands (SED). Das tat sie nach sowjetischem Vorbild auf der Grundlage des »sozialistischen Realismus«. Danach hatte der Künstler »die Wirklichkeit in ihrer revolutionären Entwicklung« darzustellen, mit dem Ziel, »die Werktätigen ideologisch umzuformen und im Geiste des Sozialismus zu erziehen«. Im Zentrum des Werkes hatte ein positiver sozialistischer Held zu stehen, der den arbeitenden Menschen als Vorbild dienen sollte. Damit sich die Künstler auch danach richteten, wurden das »Amt für Literatur und Verlagswesen«, die »Staatliche Kommission für Kunstangelegenheiten« und ähnliche Überwachungsorgane geschaffen.

Zu solcher Bevormundung schrieb Bertolt Brecht, der 1948 nach Ost-Berlin kam, weil er hoffte, das sozialistische Deutschland werde das bessere Deutschland, der dort aber nie wirklich heimisch wurde, obwohl er mit dem »Berliner Ensemble« ein eigenes Theater erhielt: »Die Kunst ist nicht dazu befähigt, die Kunstvorstellungen von Büros in Kunstwerke umzusetzen. Nur Stiefel kann man nach Maß anfertigen.« Künstler, die bereit waren, Werke nach Maß anzufertigen, wurden vom Staat gut versorgt. Die anderen bekamen keine Möglichkeit, ihre Werke unzensiert zu veröffentlichen, und mussten mit Sanktionen rechnen.
Weil auch zehn Jahre nach Gründung der DDR Bücher fehlten, die sich literarisch niveauvoll mit Arbeitswelt und Gesellschaft befassten, wurde im April 1959 auf einer Schriftstellertagung in Bitterfeld die »sozialistische Kulturrevolution« ausgerufen. »Kumpel, greif zur Feder!«, lautete eine Forderung. Die Arbeiter sollten in Zukunft nicht nur lesen, sie sollten auch schreiben. Und die Schriftsteller sollten für längere Zeit in den Betrieben arbeiten, um »die aus der Klassengesellschaft übernommene Trennung zwischen Kunst und Volk zu überwinden« und die »Höhen der Kultur« zu erklimmen, wie SED-Chef Walter Ulbricht es ausdrückte. Aber auch dieser so genannte »Bitterfelder Weg« ließ keine große Kunstwerke entstehen, weil die wichtigste Voraussetzung dafür fehlte: die Freiheit.
Zwar gab es immer wieder Debatten, in deren Folge die SED die Zügel auch mal etwas lockerte; aber an den Grundsätzen der Kulturpolitik änderte sich nichts. Das bekam zum Beispiel der Liedermacher Wolf Biermann (geb. 1936) zu spüren, der von 1965 bis 1976 in der DDR weder auftreten noch veröffentlichen durfte. Als er dann auch noch ausgebürgert wurde, protestierten mehr als 150 »Kulturschaffende« in

einem offenen Brief an die SED und bewiesen damit Solidarität und Zivilcourage.

Eine von ihnen war Christa Wolf (geb. 1929), die in der DDR eine bemerkenswerte Karriere gemacht hatte. Nach dem Studium der Germanistik war das SED-Mitglied Redakteurin der Zeitschrift »Neue Deutsche Literatur«, Cheflektorin des Verlags »Neues Leben« und Lektorin des wichtigen »Mitteldeutschen Verlags«. Von 1955 bis 1977 war sie auch Vorstandsmitglied des DDR-Schriftstellerverbandes und 1963 gar Kandidatin des Zentralkomitees der SED. Die überzeugte Sozialistin hat sich bei ihren ersten Texten auch noch an den Bitterfelder Forderungen orientiert. Aber spätestens mit dem Roman *Nachdenken über Christa T.* aus dem Jahre 1968 löste sie sich davon – und zwar in Form und Inhalt.

»Nachdenken, ihr nach – denken. Dem *Versuch, man selbst zu sein*. So steht es in ihren Tagebüchern, die uns geblieben sind, auf den losen Blättern der Manuskripte, die man aufgefunden hat, zwischen den Zeilen der Briefe, die ich kenne. Die mich gelehrt haben, daß ich meine Erinnerung an sie, Christa T., vergessen muß. Die Farbe der Erinnerung trügt.« So beginnt der Roman, in dem die Ich-Erzählerin mit Hilfe von authentischen Quellen, mündlichen Mitteilungen, eigenen Recherchen und Erinnerungen das Leben ihrer toten Freundin zu rekonstruieren versucht. Dabei wechselt die Erzählperspektive, es gibt Rückblenden und Vorgriffe, »abschweifende« Träumereien und Reflexionen, auch über den Vorgang des Schreibens.

Das alles hat es so in der DDR-Literatur bis dahin nicht gegeben. Ebenso wenig eine »Heldin« wie Christa T., die alles andere als vorbildhaft im Sinne des sozialistischen Realismus ist. Denn obwohl – oder gerade weil sie Sozialistin ist, leidet sie am real existierenden Sozialismus. Dem will sie sich nicht beugen, weil sie eine andere Vorstellung, »eine Vision von sichselbst« und vom Leben hat. »Mir graut vor der neuen Welt der Phantasielosen. Der Tatmenschen. Der Hopp-Hopp-Menschen.« Sie will sich auch nicht immer auf später vertrösten lassen.

Christa Wolf

Denk mal nach. Lebst du eigentlich heute, jetzt, in diesem Augenblick? Ganz und gar?
Erbarm dich! sagte ich, worauf läuft das hinaus?
Heute möchte ich ihr die Frage zurückgeben können. Denn sie hat ja recht gehabt, wenn ich jetzt darüber nachdenke. Nichts hat uns ferner gelegen als der Gedanke, man würde eines Tages irgendwo ankommen und fertig. Etwas sein und gut. Wir waren unterwegs, und etwas Wind war immer da, mal uns im Rücken, mal uns entgegen. Wir sind es nicht, doch wir werden es sein, wir haben es nicht, doch wir werden es haben, das war unsere Formel. Die Zukunft? Das ist das gründlich andere. Alles zu seiner Zeit. Die Zukunft, die Schönheit und die Vollkommenheit, die sparen wir uns auf, eine Belohnung eines Tages, für unermüdlichen Fleiß. Dann werden wir etwas sein, dann werden wir etwas haben.
Da aber die Zukunft immer vor uns hergeschoben wurde, da wir sahen, sie ist nichts weiter als die Verlängerung der Zeit, die mit uns vergeht, und erreichen kann man sie nicht – da mußte eines Tages die Frage entstehen: *Wie* werden wir sein? *Was* werden wir haben?
Obwohl zum Innehalten die Zeit nicht ist, wird einmal keine Zeit mehr sein, wenn man jetzt nicht innehält. Lebst du jetzt, wirklich? In diesem Augenblick, ganz und gar?
Wann, wenn nicht jetzt?

»Wann, wenn nicht jetzt?« Mit dieser Frage endet der Roman. Er wurde in der DDR zuerst nur in einer Mini-Auflage von etwa 500 Exemplaren gedruckt und ganz unterschiedlich aufgenommen. Von den »phantasielosen Hopp-Hopp-Menschen« einmal abgesehen, begriffen die Leser bald, dass Christa Wolf ein zentrales Problem beschrieben hatte: Wie kann der Einzelne in einer sozialistischen Gesellschaft seine Individualität bewahren, ein selbstbestimmtes Leben führen und gleichzeitig seinen Teil zur Entwicklung dieser Gesellschaft beitragen? Darauf gaben die Verantwortlichen in der DDR bis zuletzt keine befriedigenden Antworten.

Immer mehr Menschen litten an den Zuständen in der DDR. Ihnen hat Ulrich Plenzdorf (geb. 1934) mit seiner Erzählung *Die neuen Leiden des jungen W.* eine Stimme gegeben. Und was für eine!

Für Jeans konnte ich überhaupt auf alles verzichten, außer der schönsten Sache vielleicht. Und außer Musik. Ich meine jetzt nicht irgendeinen Händelsohn Bacholdy, sondern echte Musik, Leute. Ich hatte nichts gegen Bacholdy oder einen, aber sie rissen mich nicht gerade vom Hocker. Ich meine natürlich echte Jeans. [...]

Es tötete mich immer fast gar nicht, wenn ich so einen fünfundzwanzigjährigen Knacker mit Jeans sah, die er sich über seine verfetteten Hüften gezwängt hatte und in der Taille zugeschnürt. Dabei sind Jeans Hüfthosen, das heißt Hosen, die einem von der Hüfte rutschen, wenn sie nicht eng genug sind und einfach durch Reibungswiderstand obenbleiben. Dazu darf man natürlich keine fetten Hüften haben und einen fetten Arsch schon gar nicht, weil sie sonst nicht zugehen im Bund. Das kapiert einer mit fünfundzwanzig schon nicht mehr. Das ist, wie wenn einer dem Abzeichen nach Kommunist ist und zu Hause seine Frau prügelt. Ich meine, Jeans sind eine Einstellung und keine Hosen. Ich hab überhaupt manchmal gedacht, man dürfte nicht älter werden als siebzehn – achtzehn. Danach fängt es mit dem Beruf an oder mit irgendeinem Studium oder mit der Armee, und dann ist mit keinem mehr zu reden. Ich hab jedenfalls keinen gekannt. Vielleicht versteht mich keiner.

O doch, sie verstanden ihn, vor allem die Jungen. Für sie wurde Edgar Wibeau mit seiner schnodderigen Sprache und seinen ganz eigenen Ansichten zu einer literarischen Identifikationsfigur. Der 18-jährige Jeansträger und Beat-Musik-Fan will kein vorzeigbarer Musterknabe mehr sein, schmeißt die Lehre, weil er sich nicht länger von Spießern und kleinbürgerlichen Besserwissern bevormunden lassen will, fährt nach Berlin, zieht dort in die Laube eines Freundes und liest, weil er nichts anderes findet, Goethes Werther.

Nach zwei Seiten schoß ich den Vogel in die Ecke. Leute, das konnte wirklich kein Schwein lesen. Beim besten Willen nicht. Fünf Minuten später hatte ich den Vogel wieder in der Hand. Entweder ich wollte bis früh lesen oder nicht. Das war meine Art. Drei Stunden später hatte ich es hinter mir.
Ich war fast gar nicht sauer! Der Kerl in dem Buch, dieser Werther, wie er hieß, macht am Schluß Selbstmord. Gibt einfach den Löffel ab. Schießt sich ein Loch in seine olle Birne, weil er die Frau nicht kriegen kann, die er haben will, und tut sich ungeheuer Leid dabei. Wenn er nicht völlig verblödet war, mußte er doch sehen, daß sie nur darauf wartete, daß er was *machte*, diese Charlotte. Ich meine, wenn ich mit einer Frau allein im Zimmer bin und wenn ich weiß, vor einer halben Stunde oder so kommt keiner da rein, Leute, dann versuch ich doch *alles*. Kann sein, ich handle mir ein paar Schellen ein, na und? Immer noch besser als eine verpaßte Gelegenheit. Außerdem gibt es höchstens in zwei von zehn Fällen Schellen. Das ist Tatsache. Und dieser Werther

war ... zigmal mit ihr allein. Schon in diesem Park. Und was macht er? Er sieht ruhig zu, wie sie heiratet. Und dann murkst er sich ab. Dem war nicht zu helfen.

Edgar lernt eine Kindergärtnerin kennen, nennt sie Charlie und verliebt sich in sie. Aber wie Werthers Charlotte ist auch Charlie verlobt mit einem strebsamen, ordentlichen Bürger, der überhaupt nicht zu ihr passt. Gefühlsmäßig ist sie Edgar viel näher als ihrem Verlobten Dieter, bleibt aber dennoch bei ihm, worunter Edgar natürlich leidet. »Ich hätte nie im Leben gedacht, daß ich diesen Werther mal so begreifen würde.«
Das alles wird rückblickend erzählt, weil Edgar bei dem Versuch, eine neue Farbspritzpistole zu entwickeln, einen Stromschlag erhielt und »über den Jordan« ging.
Die erste Fassung hatte Plenzdorf 1968/69 noch als Filmdrehbuch geschrieben. Aber unter dem alten SED-Chef Walter Ulbricht durfte so ein Film nicht gedreht werden. Unter seinem Nachfolger Erich Honecker kam es anfangs zu einer gewissen Liberalisierung, so dass die Erzählung 1972 erscheinen konnte und wenig später auch eine Bühnenfassung, die in Halle uraufgeführt wurde. Darüber schrieb eine 17-jährige Schülerin: »Es war eine ganz tolle Stimmung im Theater ... alle klatschten wie verrückt, es wurde auch mit den Füßen getrampelt und gerufen einfach aus Begeisterung. Hier war man einfach dabei, man hätte am liebsten mitgemacht.«
Natürlich lösten Buch und Stück auch heftige Proteste aus. DDR-Staranwalt Friedrich Karl Kaul sprach von einem »verwahrlosten Jugendlichen«, von »Fäkalien-Vokabular« und vom »unerhörten Umgang mit dem klassischen Erbe… Um mein Urteil knapp zu fassen: Mich ekelt geradezu.« Es

kam zu einer scharfen Diskussion über den »jungen W.«, und vermutlich hat nur der überwältigende Erfolg verhindert, dass er verboten wurde.
Edgar Wibeau war aber nicht nur für Jugendliche in der DDR ein toller Kerl (nach einer Umfrage wären 60 Prozent gern mit ihm befreundet gewesen), auch in der BRD identifizierten sich viele junge Menschen mit ihm. Denn Konflikte zwischen der Gründergeneration und der Jugend gab es auch hier genügend. So wurde *Die neuen Leiden des jungen W.* gleichsam ein Stück gesamtdeutsche Literatur, lange bevor die beiden deutschen Staaten zusammenfanden.

Ein weites Feld

Im Herbst 1989 zogen mächtige Demonstrationszüge durch Leipzig, Dresden, Ost-Berlin und andere Städte der DDR. In einer Mischung aus Zorn und wachsendem Selbstbewusstsein erschallte dabei der Ruf »Wir sind das Volk!« und die DDR-Führung gab dem Volkswillen erstmals nach. Am Abend des 9. November 1989 öffnete sie die Grenzübergänge und noch in der Nacht besuchten zehntausende DDR-Bürger West-Berlin. Deutsche aus Ost und West feierten ein Fest, wie in Deutschland noch keines gefeiert worden war. Und bald wurde aus dem Ruf »Wir sind das Volk!« die neue Parole »Wir sind ein Volk!«.
Mit der Art und Weise, wie die Wiedervereinigung dann von den Politikern vollzogen wurde, waren viele Menschen im Osten Deutschlands nicht einverstanden. Der Ost-Berliner Lyriker Volker Braun (geb. 1939) schrieb dazu *Das Eigentum*:

Da bin ich noch: mein Land geht in den Westen.
K r i e g d e n H ü t t e n F r i e d e d e n P a l ä s t e n.
Ich selber habe ihm den Tritt versetzt.
Es wirft sich weg und seine magre Zierde.
Dem Winter folgt der Sommer der Begierde.
Und ich kann bleiben *wo der Pfeffer wächst.*

Und unverständlich wird mein ganzer Text.
Was ich niemals besaß wird mir entrissen.
Was ich nicht lebte werd ich ewig missen.
Die Hoffnung lag im Weg wie eine Falle.
Mein Eigentum, jetzt habt ihrs auf der Kralle.
Wann sag ich wieder *mein* und meine alle.

Wie Volker Braun, so hatten auch andere DDR-Autoren auf einen »dritten Weg« zwischen westlichem Kapitalismus und östlichem Sozialismus gehofft, auf einen »Sozialismus mit menschlichem Antlitz«. Um diese Hoffnung sahen sie sich nach der Wiedervereinigung betrogen.
Was bleibt – unter diesem Titel legte Christa Wolf im Juni 1990 eine Erzählung vor. Der 1979 geschriebene und 1989 überarbeitete Text erzählt in der Ich-Form von einer Schriftstellerin, die Ende der siebziger Jahre vom Staatssicherheitsdienst überwacht wird. Die westdeutsche Literaturkritik stürzte sich auf diese Erzählung, befasste sich aber weniger mit ihrer literarischen Qualität, sondern mehr mit der politischen Haltung Christa Wolfs. Ihr wurde vorgeworfen, dass sie als »privilegierte Staatsdichterin der DDR« sich nun zum Stasi-Opfer aufspiele. Stattdessen hätte sie ihre internationale Bekanntheit und ihre Beziehungen nutzen sollen, um zu DDR-Zeiten gegen die Stasi-Methoden zu protestieren.
Der Streit um Christa Wolf weitete sich schnell aus und wurde heftiger. Einige im Westen meinten gar, eine ernst zu nehmende DDR-Literatur gebe es überhaupt nicht; was unter Stasi-Aufsicht veröffentlicht worden sei, habe keinen literarischen Wert – ebenso wenig wie Texte, die unter NS-Aufsicht entstanden waren. Gegen solche Angriffe wurden auch im Westen Stimmen laut. Günter Grass zum Beispiel warnte im »Spiegel« vor einem Ton, »der vergiftend ist und inquisitorisch und pharisäerhaft, zumal vom sicheren westlichen Port aus geurteilt wird«.
Neben dem »deutsch-deutschen Literaturstreit« wurde in Deutschland auch noch Literatur geschrieben. Einer der Autoren, die sich immer schon intensiv mit der deutsch-deutschen Vergangenheit auseinander setzten, ist Martin

Walser (geb. 1927). Schon im Herbst 1977 hatte er in einer Rede gesagt: »Ich spüre ein elementares Bedürfnis, nach Sachsen und Thüringen reisen zu dürfen unter ganz anderen Umständen als denen, die jetzt herrschen. Sachsen und Thüringen sind für mich weit zurück und tief hinunter hallende Namen, die ich nicht unter ›Verlust‹ buchen kann. Nietzsche ist kein Ausländer. Leipzig ist vielleicht momentan nicht unser. Aber Leipzig ist mein. Aus meinem historischen Bewußtsein ist Deutschland nicht zu tilgen. Sie können neue Landkarten drucken, aber sie können mein Bewußtsein nicht neu herstellen. Ich weigere mich, an der Liquidierung von Geschichte teilzunehmen. In mir hat ein anderes Deutschland immer noch eine Chance. Die Welt müßte vor einem solchen Deutschland nicht mehr zusammenzucken. Und doch ist es im Augenblick reine Utopie, ist ›Wunschdenken‹.«

Martin Walser

Literarisch hat Walser sich dem Thema erstmals mit der Novelle *Dorle und Wolf* gewidmet. Die Recherchen und Vorarbeiten für diese Agentenstory zwischen den beiden deutschen Staaten dauerten nach Walsers Aussage rund zehn Jahre. 1987 erschien dann diese Geschichte vom »Leben in einem halbierten Land«. Zu einer Zeit, als niemand an das Ende der DDR und damit auch der BRD dachte und die Teilung vielen längst selbstverständlich schien, warf Walser seinen Landsleuten vor, dass sie nicht wie er unter diesem unnatürlichen Zustand litten.

Nach dem schmalen Bändchen war Walser mit dem Thema noch nicht fertig und legte vier Jahre später einen 520-

Seiten-Roman vor: *Die Verteidigung der Kindheit*. Für die Gestaltung der Hauptfigur Alfred Dorn hat er den Nachlass eines Mannes verwendet, der erst im einen, dann im anderen deutschen Staat gelebt hatte. Bei der Sichtung dieses Nachlasses und bei weiteren Recherchen stellte Walser eine »Leidensverwandtschaft« mit jenem aus Dresden stammenden Juristen fest, der 1953 in den Westen geflüchtet und dort 1987 gestorben war.

Der Roman beginnt 1953 mit Alfred Dorns Flucht aus der DDR, wo er sein Jurastudium aus politischen Gründen nicht abschließen kann.

Er wird schon Angst gehabt haben, als er in Berlin im Bahnhof Friedrichstraße den Schildern folgte und zwischen scheußlich senfgelben Wänden zu dem Bahnsteig hinaufging, um droben auf die Bahn zu warten, mit der er den *Demokratischen Sektor* verlassen wollte. Dieses Gefühl, daß die Rechtmäßigkeit, mit der man sich ausgestattet hat, eben doch nicht ausreicht. Papiere der Sächsischen Landeskirche hatte er der Landeskirche drüben zu überbringen. Der Oberkirchenrat, der ihn schickte, wußte, daß der Bote nicht in die DDR zurückkehren würde.

Bevor der Zug abfuhr, wurde Alfred von der Transport-Polizei aus dem Zug geholt. Er zeigte seine Papiere, auch den Brief des Oberkirchenrats, der ihn als Kurier der Landeskirche legitimierte. Dann mußte er aber doch noch seine Tasche öffnen. Zuoberst lag seine Reiselektüre, das Buch von Hubert Ermisch über den Zwinger. Der Polizist lächelte und sagte rein sächsisch: Scheenes Buch. Alfred durfte mit dem nächsten Zug fahren. Der Zwinger, Dresdens Baujuwel, hatte ihn gerettet. Und der Oberkirchenrat. Jetzt hatten sich die langweiligsten Monate seines Lebens, die im Kirchensteueramt verbrachten, doch noch gelohnt. Als er die Referendarprüfung in Leipzig auch beim zweiten Versuch nicht bestanden hatte, war es seiner Tante Lotte gelungen, ihn im Kirchensteueramt unterzubringen.

Als der Zug endlich fuhr, wollte Alfred aufatmen, da sah er aber, daß er einer Bekannten gegenübersaß. Traude Höller. Seine Tanzstundenpartnerin im Sommer 48. Sie studiert schon eine Weile hier, Medizin. Er merkte, daß er ihr nicht richtig zuhören konnte. Für die war Alltag, was für ihn das bisher größte Abenteuer war. Er durfte ihr nicht sagen, auf welcher Fahrt er sich befand.

In West-Berlin setzt Dorn sein Studium fort und besteht das Staatsexamen mit »vollbefriedigend«, er wird ein unterdurchschnittlicher Jurist, bleibt auf der Karriereleiter früh stehen, wird in West-Berlin nicht heimisch, ist in Dresden nicht mehr zu Hause. Zu alldem kommt noch, dass er sich auch als Mann nicht von seiner Mutterbindung lösen kann. Schon auf der ersten Seite des Romans heißt es: »Alfred wollte seine Mutter kein bißchen betrügen. Er wollte eins mit ihr sein.« Und zum Schluss lautet das Fazit: »Gegen den Vater sein ist leicht. Gegen die Mutter kann man nicht sein. Das ist der Fluch.« Für einen Sohn wie Alfred Dorn, der mit seiner Mutter eins sein will, kann es keine andere Frau geben. Auch noch aus der Ferne wird er von der Mutter beherrscht. »Ich komme doch hinter alles.« Dieser Satz der Mutter lässt Alfred Dorn sein Leben lang nicht los.
Wie andere »Helden« Walsers wird auch Alfred Dorn den Erwartungen und Anforderungen seiner Mitmenschen nicht gerecht, weder im Beruf noch im Privatleben. Wie jene scheitert er an der leistungsorientierten deutschen Gesellschaft – drüben und hüben. Überfordert vom Leben, flieht er mehr und mehr aus der Wirklichkeit in Ersatzwelten und klammert sich an seine erinnerte Kindheit. Mit Hilfe von alten Fotos, Bildern, Briefen, Quittungen etc. möchte er die Vergangenheit wie in einem Museum rekonstruieren und festhalten. »Wenn man nach 2000 Jahren den Pergamon-

Altar wieder aufbauen konnte, kann man auch seine Kindheit wieder aufbauen.« Aber aus dem »Alfred-Dorn-Museum« wird nichts. Ohne wirklich erwachsen geworden zu sein, stirbt Alfred Dorn mit 58 Jahren an einer Tablettenvergiftung. »Der Körper lag gebogen, als habe er sich eine embryonische Form geben wollen.«

Die Verteidigung der Kindheit wurde von der Kritik als ein »Panorama deutsch-deutscher Alltagsgeschichte« und erster großer Epochenroman der nun abgeschlossenen deutschen Nachkriegsgeschichte gefeiert.

Auch andere schrieben Bücher über das Leben in Deutschland, nicht zuletzt Günter Grass. Mit seinem 780-Seiten-Roman *Ein weites Feld*, der nach der Mauer-Öffnung beginnt und im Oktober 1991 endet, übertrumpfte Grass seinen Kollegen Walser um 260 Seiten. Doch die Resonanz war überwiegend negativ. Vielen Kritikern schien der Roman zu sehr konstruiert, die Personen lebten ihnen zu wenig und waren zu sehr Sprachrohr des Autors. Neben den literarischen Einwänden gab es vor allem politische. In der Wochenzeitung »DIE ZEIT« wurde Grass vorgeworfen, er verkläre die DDR »zu einer kleinbürgerlich-›kommoden Diktatur‹, während das neue demokratische Deutschland so unerträglich ist, daß man auswandern muß«. Der Starkritiker Marcel Reich-Ranicki zerriss auf dem Titelbild des »Spiegel« vom 21. August 1995 das Buch im wahrsten Sinne des Wortes und zeigte damit überdeutlich, was er von dem Roman hielt. Ob die Verrisse zu Recht erfolgten, ob andere Bücher der letzten Jahre, die von der Kritik gelobt und gefeiert wurden, Bestand haben, wird sich erst noch zeigen.

Zwei neue Stimmen

Neben älteren Autoren um Grass und Walser, die den deutschsprachigen Literaturbetrieb auch nach der Wiedervereinigung dominierten, bereicherten zunehmend jüngere Stimmen die Gegenwartsliteratur.
Mit *Schlafes Bruder* legte der 1961 in Bregenz geborene Robert Schneider einen Roman vor, der so gar nicht in das zu Ende gehende 20. Jahrhundert zu passen schien. Das Manuskript wurde dann auch von 23(!) Verlagen abgelehnt, bevor es 1992 bei Reclam in Leipzig erschien – und zu einem der größten Bucherfolge der 90er Jahre wurde. Schneider verlegt die Handlung ins beginnende 19. Jahrhundert und erzählt die Geschichte fast so, als lebten nicht nur seine Figuren, sondern auch er selbst in jener Zeit. Diese etwas eigentümlich anmutende »altmodische« Erzählweise dürfte ein Grund für den Erfolg des Buches sein. Der allwissende Erzähler kommentiert die Handlung vorausschauend und rückblendend, und er spricht den Leser direkt an als einen, »der uns ein guter Freund geworden ist«. Er gibt – im Pluralis majestatis – auch Auskunft über sich selbst und sein Tun. So schreibt er zum Beispiel über den Bruder der Hauptperson: »Wir geben ohne Hehl zu, daß er uns nicht interessiert.« Und gegen Ende des Romans heißt es: »Wir heben die Augen von diesen Papieren und blicken aus unserer niedrigen Schreibstatt – klein wie ein Puppenhaus – hinab auf die jetzt fahlgrau verschneiten Hänge ... Dann kehren wir an unseren Tisch zurück, wo es noch von der Schwüle des Spätsommers duftet.«
Was er erzählt, teilt Schneider dem Leser gleich im ersten Satz mit: »Das ist die Geschichte des Musikers Johannes

Elias Alder, der zweiundzwanzigjährig sein Leben zu Tode brachte, nachdem er beschlossen hatte, nicht mehr zu schlafen.«

Als Elias fünf Jahre alt war, »geschah das Wunder«: Er hörte »das Universum tönen«. Dieses Wunder machte ihn nicht nur zum musikalischen Genie, es ließ ihn auch schneller altern. »Zehn Jahre gelebt und zum Mann gereift. Sein Haar wurde schütter, in den Stirnecken fraß die beginnende Glatze.« Mit zwölf rettete er seine kleine Cousine Elsbeth aus dem brennenden Haus.

Und es lag Elsbeths Herz auf Elias' Herzen, und Elsbeths Herzschlagen ging in Elias' Herzschlagen. Da brüllte Johannes Elias Alder so entsetzlich auf, so jämmerlich, als müßte er bei hellem Verstand sterben. Da zertrümmerte der Schrei augenblicklich das Bewußtsein des Mädchens, und es sank ohnmächtig in den Körper des jungen Liebenden. Da erfüllte sich die Offenbarung, welche der Fünfjährige einst im Bachbett der Emmer vernommen, indem er das Herzschlagen eines ungeborenen Kindes gehört hatte. In dieser Nacht des allgegenwärtigen Grauens verliebte sich Johannes Elias Alder in seine Cousine Elsbeth Alder. Mußte sich verlieben, denn Gott war noch lange nicht fertig mit ihm.

Den letzten Satz variiert der Autor mehrfach. Er schreibt von Gottes »satanischem Plan« und von seiner »unendlichen Grausamkeit«. Erst mache er Elias zu einem Genie, dann lasse er ihn sich verlieben, nehme ihm aber die Möglichkeiten, beides auszuleben.

Die Beschreibung seines Lebens ist nichts als die traurige Aufzählung der Unterlassungen und Versäumnisse all derer, welche vielleicht das große Talent dieses Menschen erahnt haben, es aber aus Teilnahmslosigkeit, schlichter Dummheit, oder wie jener Cantor Goller, Domorganist zu Feldberg (dessen Gebeine exhuminiert und in alle Windesrichtungen verstreut werden sollten, auf daß sein Leib am Tag der Sieben Posaunen nicht wieder zu sich finde), aus purem Neid verkommen ließen. Es ist eine Anklage wider Gott, dem es in seiner Verschwenderlaune gefallen hatte, die so wertvolle Gabe der Musik ausgerechnet über ein Eschberger Bauernkind auszugießen, wo er doch hätte absehen müssen, daß es sich und seine Anlage in dieser musiknotständigen Gegend niemals würde nutzen und vollenden können. Überdies gefiel es Gott, den Johannes Elias mit einer solchen Leidenschaft nach der Liebe auszustatten, daß davon sein Leben vor der Zeit verzehrt wurde.

Schlafes Bruder wurde als Dorfgeschichte, Heimatroman, Heiligenlegende, ja sogar als Märchen bezeichnet. Das Buch ist alles zusammen, Liebes- und Künstlerroman noch dazu. Dass es auch autobiographische Züge hat, machen folgende Sätze Robert Schneiders deutlich: »Ich habe gelitten darunter, in einem Haus aufgewachsen zu sein, in dem es weder Bücher noch Musik gab. Die einzige Musik, die ich während meiner Kindheit hörte, war die des Dorforganisten sonntags in der Kirche. Und der hat ganz abscheulich gespielt.«
Drei Jahre nach *Schlafes Bruder* erschien Bernhard Schlinks Roman *Der Vorleser*. Er beginnt im Sommer 1959 als ungewöhnliche Liebesgeschichte zwischen dem 15-jährigen Gymnasiasten Michael Berg und der 36-jährigen Straßenbahnschaffnerin Hanna Schmitz. Durch einen Zufall lernen sich die beiden kennen und der Junge verliebt sich in die reife Frau. Nach den ersten Begegnungen möchte sie, dass er ihr die Stücke vorliest, die sie in der Schule behandeln.

»Lies selbst, ich bring's dir mit.«
»Du hast so eine schöne Stimme, Jungchen, ich mag dir lieber zuhören als selbst lesen.«
»Ach, ich weiß nicht.«
Aber als ich am nächsten Tag kam und sie küssen wollte, entzog sie sich. »Zuerst mußt du mir vorlesen.«
Sie meinte es ernst. Ich mußte ihr eine halbe Stunde lang *Emilia Galotti* vorlesen, ehe sie mich unter die Dusche und ins Bett nahm. Jetzt war auch ich über das Duschen froh. Die Lust, mit der ich gekommen war, war über dem Vorlesen vergangen. Ein Stück so vorzulesen, daß die verschiedenen Akteure einigermaßen erkennbar und lebendig werden, verlangt einige Konzentration. Unter der Dusche wuchs die Lust wieder. Vorlesen, duschen, lieben und noch ein bißchen beieinanderliegen – das wurde das Ritual unserer Treffen.

Dieses Ritual hat mit dem Leben, das die beiden draußen führen, nichts zu tun. »Ich habe nie erfahren, was Hanna machte, wenn sie weder arbeitete noch wir zusammen waren. Fragte ich danach, wies sie meine Frage zurück. Wir hatten keine gemeinsame Lebenswelt, sondern sie gab mir in ihrem Leben den Platz, den sie mir geben wollte. Damit hatte ich mich zu begnügen.«

Bernhard Schlink

Hanna ist es auch, die die Beziehung von einem Tag auf den anderen beendet, indem sie ohne Abschied aus der Stadt verschwindet und Michael dadurch in eine schwere Krise stürzt.
Als Jura-Student sieht er Hanna sieben Jahre später in einem Gerichtssaal wieder. Sie ist eine von fünf Angeklagten in

einem Prozess gegen KZ-Aufseherinnen. Hanna wird beschuldigt, für den Tod mehrerer hundert Frauen mitverantwortlich zu sein. Michael ist wie betäubt. Als Prozessbeobachter kommt er Hannas Geheimnis auf die Spur. Sie ist Analphabetin und tut alles, um das zu verbergen. »Im Prozeß wog Hanna nicht zwischen der Bloßstellung als Analphabetin und der Bloßstellung als Verbrecherin ab. Sie kalkulierte und taktierte nicht. Sie akzeptierte, daß sie zur Rechenschaft gezogen wurde, wollte nur nicht überdies bloßgestellt werden.«
Michael überlegt, ob er dem Richter sagen soll, dass Hanna einen sie belastenden Bericht gar nicht geschrieben haben konnte. Er tut es nicht, weil es ihm wie ein Verrat vorkäme. »Sie würde auch nicht wollen, daß ich ihre Selbstdarstellung für ein paar Gefängnisjahre verkaufen würde. Sie konnte solchen Handel selbst machen, sie machte ihn nicht, also wollte sie ihn nicht. Ihr war ihre Selbstdarstellung diese Gefängnisjahre wert.«
Hanna wird als Hauptschuldige zu lebenslänglicher Haft verurteilt und verlässt den Gerichtssaal, ohne sich noch einmal nach Michael umzudrehen.
Im dritten Teil des Buches, der zwischen 1974 und 1994 spielt, heiratet Michael die Juristin Gertrud.

Ich habe nie aufhören können, das Zusammensein mit Gertrud mit dem Zusammensein mit Hanna zu vergleichen, und immer wieder hielten Gertrud und ich uns im Arm und ich hatte das Gefühl, daß es nicht stimmt, daß sie nicht stimmt, daß sie sich falsch anfaßt und anfühlt, daß sie falsch riecht und schmeckt. Ich dachte, es würde sich verlieren. Ich hoffte, es würde sich verlieren. Ich wollte von Hanna frei sein. Aber das Gefühl, daß es nicht stimmt, hat sich nie verloren.

Nach fünf Jahren lassen sie sich scheiden. Auch in seinen späteren Beziehungen erwartet er, »daß eine Frau sich ein bißchen wie Hanna anfassen und anfühlen, ein bißchen wie sie riechen und schmecken muß, damit unser Zusammensein stimmt«. Doch diese Erwartung erfüllt sich nicht.
Schließlich nimmt er Kontakt zu Hanna auf, wenn auch nur indirekt – als Vorleser. Er liest für Hanna auf Kassetten und schickt sie ihr ins Gefängnis. Nach vier Jahren erhält er eine handgeschriebene Karte. »Jungchen, die letzte Geschichte war besonders schön. Danke. Hanna.« Die Karte macht deutlich, dass Hanna Lesen und Schreiben gelernt hat, was Michael unbändig freut.
Nach achtzehn Jahren wird Hanna begnadigt. Auf Bitten der Gefängnisleiterin besucht Michael sie, um mit ihr über die Zeit nach der Entlassung zu sprechen. Doch es kommt nicht dazu, weil sich Hanna in ihrer Zelle erhängt.
Indem Bernhard Schlink die Verbrechen der Nazis nicht durch eine Vaterfigur, sondern durch eine Geliebte repräsentiert, gelingt ihm eine ungewöhnliche Nähe zwischen Tätern und Nachgeborenen. Auch das macht dieses Buch zu einem ganz besonderen.

Aus der ostdeutschen Provinz

»Irgendwann habe ich mich nicht mehr für die DDR-Literatur interessiert. Deren Probleme waren nicht meine Probleme, deren Sprache nicht meine Sprache. Es blieb mir nichts übrig, als mir meine Bücher selbst zu schreiben.« Das sagte Thomas Brussig, ein Kind der DDR. 1965 wurde er in Berlin geboren und verbrachte dort, mit Ausnahme der Wehrdienstzeit, sein ganzes Leben. Nach der Schule, einer Ausbildung zum Baufacharbeiter und dem Wehrdienst jobbte er jahrelang als Museumspförtner, Möbelträger, Reiseleiter und Hotelportier – nicht gerade der Lebenslauf eines Musterjugendlichen. Aber der wollte Brussig auch nie sein, mit dem sozialistischen Aufbaupathos der Elterngeneration hatte er nichts am Hut. Das gilt auch für die Hauptperson seines 1995 erschienenen Romans *Helden wie wir*. Klaus Uhltzscht erblickt das Licht der Welt am 20. August 1968, also genau an dem Tag, als die Panzer der sozialistischen Bruderländer in Richtung Tschechoslowakei rollen, um den »Prager Frühling« zu beenden.
Der heranwachsende Uhltzscht interessiert sich nicht für den Sozialismus, weder für den real existierenden noch für den theoretischen noch für irgendwelche Zwischenformen. Sein Denken kreist um sein zu klein geratenes »Zentralorgan«, das er mit allen Mitteln größer machen möchte. Weil er sämtliche Energien für sein Glied und dessen Vergrößerung verschwendet, wird er zum lächerlichen Versager – bis er nach einem Treppensturz (Oskar Matzerath lässt grüßen!) operiert werden muss, was eine unvorhergesehene Nebenwirkung zur Folge hat: Klaus Uhltzschts Glied vergrößert sich gewaltig. Mit diesem »Heldenschwengel«

bringt er die Grenzer am 9. November 1989 dazu, die Schlagbäume zu öffnen. »Ja, es ist wahr. Ich war's. Ich habe die Berliner Mauer umgeschmissen«, erzählt er rückblickend einem Reporter der »New York Times«, der über die Hintergründe des Mauerfalls schreiben will. Wie er das gemacht hat?

Ich öffnete langsam den Mantel, dann den Gürtel und schließlich die Hosen und sah den Grenzern fest in die Augen. Seitdem ich »Ihr schafft es! Na los! Volle Pulle schieben!« gerufen hatte, wurde ich mit besonderer Aufmerksamkeit behandelt; um genau zu sein, sie ließen mich nicht aus dem Auge. Um so besser. Mit einem Grinsen zog ich meine Unterhose herunter ... So was hatten sie noch nie gesehen! So was hätten sie nie für möglich gehalten! Was ich ihnen darbot, war so unglaublich, daß sie mit niemandem darüber sprechen konnten, weil ihnen niemand glauben wird. Ich ließ mir Zeit, viel Zeit, ich sah nacheinander allen in die Augen, und schließlich entriegelte einer von ihnen wie hypnotisiert das Tor ... »So«, schrie ich, laut genug, daß mich das hinter mir versammelte Volk hören konnte, dem ich mich aber nicht mit dem Gesicht zuwenden wollte, solange ich meine Hosen nicht wieder geschlossen hatte, »loslaufen müßt ihr selber!«

Helden wie wir wurde von den Lesern und der Kritik positiv aufgenommen. Viele sahen in ihm »den Wenderoman«, obwohl – nein, gerade weil er als Groteske konzipiert sei und so das Leben in der DDR und das Einheitspathos nach dem 9. November als grotesk entlarve. Doch bei Thomas Brussig ist Vorsicht geboten! Wer glaubt, über den negativen Helden Klaus Uhltzscht den Ostdeutschen und den SED-Staat zu begreifen, ist auf den schelmischen Autor ebenso reingefallen wie Uhltzscht auf die oft absurden Parolen der DDR-Ideologen.

In seiner Erzählung *Am kürzeren Ende der Sonnenallee*, die 1999 erschien, lässt Brussig Jugendliche agieren, die sich nicht für sozialistische Theorien, sondern für westliche Popmusik und das andere Geschlecht interessieren. Ihr Wunsch nach Selbstbestimmung endet an DDR-Grenzen.

Rate mal, warum sich hier nichts ändert! Wenn du sagst, was los ist, wirst du verhaftet, und alle halten dich für bescheuert, weil du nicht mal weißt, was man nicht sagen darf. Wenn du nicht verhaftet werden willst, mußt du verschweigen, was los ist. Aber wenn du verschweigst, was los ist, ändert sich auch nichts, denn alle halten die Welt für in Ordnung. Und deshalb kann sich hier auch nie etwas ändern.

Dass sie verschwiegen, sich arrangiert und mitgemacht haben, hat Brussig seinen Landsleuten schon in *Helden wie wir* vorgehalten: »Haben doch alle mitgemacht! Haben die das vergessen?« Nun, in der *Sonnenallee*, herrscht bei allem Spott und Witz doch ein anderer, ein milderer und versöhnlicherer Ton vor. Wie es dazu kam, erläuterte Brussig in einem Interview: »Jeder Mensch hat den Wunsch, mit seiner Vergangenheit Frieden zu schließen. Erinnerung hat die Funktion, Vergangenheit als schön nachzuerleben.« In der *Sonnenallee* heißt es dazu:

Wer wirklich bewahren will, was geschehen ist, der darf sich nicht den Erinnerungen hingeben. Die menschliche Erinnerung ist ein viel zu wohliger Vorgang, um das Vergangene nur festzuhalten; sie ist das Gegenteil von dem, was sie zu sein vorgibt. Denn die Erinnerung kann mehr, viel mehr: Sie vollbringt beharrlich das Wunder, einen Frieden mit der Vergangenheit zu schließen, in dem sich jeder Groll verflüchtigt und der weiche

Schleier der Nostalgie über alles legt, was mal scharf und schneidend empfunden wurde. Glückliche Menschen haben ein schlechtes Gedächtnis und reiche Erinnerungen.

Während Thomas Brussig als Erzähler nicht weiter als bis zum 9. November 1989 vorgedrungen ist, beschreibt sein drei Jahre jüngerer Landsmann Ingo Schulze die Zeit nach der Wiedervereinigung. *Simple Storys* nennt er seinen 1998 erschienenen »Roman aus der ostdeutschen Provinz«. »Storys« im Titel, »Roman« im Untertitel, das scheint ein Widerspruch in sich zu sein. Und im herkömmlichen Sinn ist das Buch kein Roman. Weil sich aber die 29 Storys zu einem Gesamtbild zusammenfügen, das dem Leser die »ostdeutsche Provinz« der 90er Jahre zeigt, trägt das Buch die Gattungsbezeichnung Roman zu Recht. Das sah auch die Literaturkritik so und feierte es als den lang erwarteten Roman der deutschen Vereinigung.
Schulzes lakonischer, gänzlich unpathetischer Stil erinnert an die amerikanische Short Story. Dieser Stil passt zu den scheinbar einfachen, alltäglichen Geschichten, die die Menschen in der ostthüringischen Kleinstadt Altenburg erleben. Was ihnen widerfährt, ist auf den ersten Blick nicht ungewöhnlich und eigentlich nicht des Erzählens wert. Und doch offenbart sich in den vielen kleinen Alltagsbegebenheiten, was das weltgeschichtliche Ereignis des Mauerfalls und der Wiedervereinigung für die Menschen im Osten Deutschlands bedeutete. Was geschah mit ihnen, die sich doch größtenteils mit dem SED-Staat arrangiert und in ihm eingerichtet hatten? Wie kamen sie mit der neuen Situation, mit der neuen Zeit zurecht?

Sie müssen mal versuchen, sich das vorzustellen. Plötzlich ist man in Italien und hat einen westdeutschen Paß ... Man befindet sich auf der anderen Seite der Welt und wundert sich, daß man wie zu Hause trinkt und ißt und einen Fuß vor den anderen setzt, als wäre das alles selbstverständlich. Wenn ich mich beim Zähneputzen im Spiegel sah, konnte ich noch viel weniger glauben, in Italien zu sein.

»Nichts ist mehr selbstverständlich« für Renate Meurer – und für die Menschen in der ehemaligen DDR. Sie müssen zwar nicht alles, aber vieles neu lernen. Und viele schaffen das nur schwer oder gar nicht.
Danny zum Beispiel arbeitet als Journalistin bei einer kleinen Zeitung. Doch ihre Artikel über Ausländerfeindlichkeit und Skinheads passen ihrem Chef nicht, weil sie Anzeigenkunden kosten könnten. Und was ist mit der viel zitierten Meinungs- und Pressefreiheit?, fragt Danny.
Barbara Holitzschek wird im Beisein ihres Mannes, der Politiker ist, und von ein paar Freunden in einer Gaststätte von Skinheads angepöbelt und geschlagen. Zu Hause wirft sie ihm vor, dass er tatenlos zugesehen hat, und er versucht sich zu rechtfertigen.

»Vierzehn-, fünfzehnjährige Schulkinder«, sagt er und richtet sich auf. »Dreimal sitzengeblieben, arme Schweine, jeder für sich genommen.«
»Keiner von euch hat sich gerührt, Frank, als sie damit anfingen. Keiner.«[...]
»Denkst du, die hätten auf mich gehört? Wenn ich sie eigenhändig rausgeschmissen hätte, dann wäre das natürlich nicht passiert. Ist das deine Logik? Soll ich mich im Nahkampf ausbilden lassen?«

Sie wäscht sich das Gesicht.
Er sagt: »Nicht jeder Kindskopf, der sich wichtig macht, ist ein Nazi! Willst du sie alle in den Knast stecken?«
»Was sagst du?«
»Tu nicht so«, sagt er.
»Frank«, sagt sie. Ihre Hände umfassen den Waschbeckenrand. Von Kinn und Nasenspitze tropft Wasser. »Ich habe immer noch Achtung vor dir ...«
»Und? Was hätte ich tun solln? Kannst du mir das sagen?«
»Weißt du, wie sie deine Frau genannt haben? Hast du weggehört, als sie mir gesagt haben, wie sie mich behandeln wollen, Frank, deine handliche Frau be-han-deln?«
»Hör auf, Babs ...«
»Ich hab mir nur die Highlights gemerkt.«
»Schrei doch nicht so! Ich habs ja auch gehört.«
»Dann ist ja gut. Wenn dus auch gehört hast ... ich dachte eben nur, du hättest es nicht gehört. Mir war so. Hab mich wieder mal getäuscht. Bitte entschuldige meine Ungerechtigkeit.«
»Soll ich mich rumprügeln?« Frank tritt ein Stück zurück. »Zwei von denen hätte ich geschafft, vielleicht drei. Aber das waren zehn oder mehr. Die hätten mich zusammengeschlagen, und dann ...«
»Dann?« fragt sie, das nasse Gesicht über dem Becken. Sie tastet nach dem Handtuch. »Sprich weiter, Frank. Dich zusammengeschlagen, und dann? Was dann?«
[...]
»Denkst du, ich fühl mich wohl?«
»Nein, das denke ich nicht. Wie kommst du darauf?«
»Wie komme ich wohl darauf!« Er verfolgt im Spiegel, wie sie die Haare aus der Bürste entfernt. »Du kannst ja von mir denken, was du willst«, sagt er und steckt die Hände in die Hosentaschen.
»Wir hätten ein Taxi nehmen sollen. Aber sonst?«
»Eure schöne Demokratie geht nicht an denen zugrunde. An denen nicht.«

»Eure schöne Demokratie« – die mit dem Einheitsvertrag über Barbara Holitzschek gekommene bundesrepublikanische Demokratie ist nicht ihre. Und so wie sie empfinden viele Menschen in »der ostdeutschen Provinz«.

Literarisches Fräuleinwunder

In den letzten zehn Jahren gab es in der deutschsprachigen Literatur mehr als fünfzig Debüts, die von den Verlagen teilweise großsprecherisch angekündigt wurden. Dabei waren junge Frauen so stark vertreten, dass schon von einem »literarischen Fräuleinwunder« die Rede war.

Eine von ihnen ist die 1974 in Basel geborene Zoë Jenny, die für ihr erstes Buch *Das Blütenstaubzimmer* (1997) hoch gelobt und mit mehreren Preisen ausgezeichnet wurde. In der Begründung der ZDF-Aspekte-Jury heißt es unter anderem: »Ihr Debüt besticht durch die Poesie des kalten Blicks. Die Sprache ist von sezierender Schärfe, ihr Buch das Zeugnis einer skeptischen Generation.«

Zoë Jenny

Die Eltern der 18-jährigen Ich-Erzählerin Jo haben sich getrennt, als sie sechs war. Sie blieb beim Vater und verbrachte die Sonntage bei ihrer Mutter Lucy. Die holte sie einmal in der Woche auch von der Schule ab und ging mit ihr in die Stadt.

Immer wieder wartete ich nach Schulschluß stundenlang vor dem Eisentor auf sie. Aber sie kam nicht mehr. Ich fragte Vater, ob mit ihr etwas geschehen sei, aber er schüttelte den Kopf und schwieg.

Doch nach einigen Wochen stand sie wieder da, küßte mich aufs Haar und hieß mich ins Auto steigen ... Sie sagte, daß sie einen

Mann, Alois, getroffen habe, den sie liebe, so wie sie einmal meinen Vater geliebt habe, und daß sie mit ihm fortgehen werde, für immer.

Nach dem Abitur reist Jo kurz entschlossen in den Süden, wo ihre Mutter mit Alois lebt. Zwölf Jahre haben sie sich nicht gesehen und die Annäherung ist äußerst schwierig. Zu tief sitzen die Kränkungen aus den Kinderjahren, zu groß ist die Kluft nach der langen Trennung. Als Alois bei einem Autounfall ums Leben kommt, schließt sich Lucy in ihr Zimmer ein und legt sich in große Mengen gelben Blütenstaubs, so als wolle sie lebendig begraben sein. Jo holt ihre Mutter aus diesem Scheingrab ins Leben zurück und bleibt ein weiteres Jahr, um ihr über den Verlust hinwegzuhelfen. Zu mehr Nähe kommt es dadurch nicht.
Ziemlich unvermittelt endet Lucys Trauer.

»Hör mal, Jo«, ihre Stimme klingt energisch, »ich habe nicht vor, die künftigen dreißig Sommer, die ich noch zu leben habe, Witwe zu spielen. Ich habe dir gesagt, daß ich fertig bin mit der Geschichte.«
Sie will mir in die Augen schauen, aber ich blicke weiterhin auf die Shampooflasche, lese ganz deutlich »Roberts«.
Sie redet, als erzähle sie eine Geschichte, die sie nichts angeht. »Du bist hierhergekommen, weil du mich sehen wolltest. Es konnte doch keiner ahnen, daß Alois bald darauf diesen schrecklichen Unfall haben würde. Ich bin am Ende gewesen. Du weißt das genau, Jo, und du hast versucht, mir zu helfen. Aber ich brauche deine Hilfe nicht, verstehst du?«
Lucy drückt den Schwamm energisch mit beiden Händen aus. »Hätte ich dich damals etwa liegen lassen sollen?« fahre ich sie an. Aber sie hört schon nicht mehr zu. Mit einem schnellen Ruck hat sie den Duschvorhang zugezogen und den Wasserhahn aufgedreht.

Dem neuen Freund Vito stellt Lucy ihre Tochter als ihre jüngere Schwester vor. Jo sieht darin ein weiteres Indiz für den Verrat und das Lügenleben ihrer Mutter. Trotzdem bemüht sie sich weiter. Zu Lucys 45. Geburtstag pflanzt Jo einen Feigenbaum im Garten und wartet Stunde um Stunde auf die Heimkehr ihrer Mutter. Endlich klingelt die Hausglocke.

Taumelnd eile ich zur Tür. Der Postbote drückt mir eine Postkarte und ein Paket in die Hand. Die Karte ist von Lucy, die Luftaufnahme einer Insel im Indischen Ozean. Sie schreibt, Vito habe sie völlig überraschend zu dieser Reise eingeladen. Sie nütze die Gelegenheit, einmal richtig auszuspannen. Ich könne ins Haus einladen, wen ich wolle.
Wann sie zurückkommt, das steht nirgends.

Jo leidet an der Kälte und Gleichgültigkeit ihrer Mutter und sie leidet an ihrer eigenen Existenz. Daran ändern die Begegnungen mit der gleichaltrigen Rea und anderen jungen Leuten nichts, denn die leben nicht weniger oberflächlich als die Erwachsenen.

»Heute abend gehe ich auf eine Technoparty, wenn ihr wollt, könnt ihr mitkommen. Hab auch Ecstasy für euch.«
Rea trocknet die Brille am Badetuch ab. Ihre kleinen blauen Augen zwinkern zu mir herüber. »Schau an, er will Drogensüchtige aus uns machen, der böse Nicola!« Sie stößt ihm scherzhaft die Faust in den Nacken.
»Nein, nein, lieber kein Ecstasy diesmal«, sagt sie schließlich, »weil ich dann tagelang wieder so tot bin.«

Die Technoparty findet im ehemaligen Schlachthaus statt. »›You are the greatest ravers of this planet!‹ ruft der DJ durchs Mikrofon, der gehetzt hinter einer erhöhten Anlage mit farbig blinkenden Lämpchen hin und her rennt [...] Ich selbst bin Teil einer großen Körpermaschine, die zittert und die sich aufbäumt und einen hysterischen Lärm veranstaltet gegen die schreckliche Stille im Kopf.«

Statt Musik »hysterischer Lärm«, Drogen ersetzen Gefühle. Auch »Sex ist völlig aus der Mode gekommen«, sagt Rea, »kenne niemand, der wirklich noch Spaß daran hat. Lügen doch alle.«

Nach dem großen Erfolg ihres Erstlings war man gespannt auf das zweite Buch der jungen Autorin. *Der Ruf des Muschelhorns* folgte drei Jahre später und gleicht in Thematik und Grundstimmung dem *Blütenstaubzimmer*. Wieder sucht ein junges Mädchen, dem das Leben hart zusetzt, seinen Platz in einer immer brüchiger werdenden Welt. Das Buch wurde wohlwollend aufgenommen, wenngleich die Literaturkritik einhellig feststellte, dass es nicht das Niveau des Erstlings habe – was bei Zweitbüchern ja häufig der Fall sei.

Im Herbst 2002 legte Zoë Jenny ihr drittes Buch vor, *Ein schnelles Leben*, eine moderne Romeo-und-Julia-Version. Im deutsch-türkischen Berliner Milieu verlieben sich die 16-jährige Ayse und der deutsche Junge Christian, der mit dem rechtsextremen Skinhead Sigi befreundet ist. Ayses Bruder Zafir und seine türkischen Freunde prügeln sich regelmäßig mit den Skinheads. Er beschützt, ja bewacht seine Schwester, damit sie nicht in falsche Hände kommt. Als er ahnt, dass sie etwas mit Christian hat, sieht er rot.

»Los, kämpfe!« rief er als ob er nichts gehört hätte, aber Christian rührte sich nicht, er stand im Regen mit hängenden Armen und schüttelte den Kopf.

»Was ist denn in dich gefahren«, rief Sigi, »bist du verrückt geworden?«

»Komm schon«, rief Zafir streitlustig, kam noch näher und zog plötzlich ein Schmetterlingsmesser aus der Tasche. Christian starrte auf die Klinge, die mit einem scharfen Ton aus dem Schaft schoß.
Sigi fluchte. »He, Christian«, rief er und warf ihm die Pistole zu. Christian fing sie unwillkürlich auf und richtete den Lauf auf Zafir.
»Hör auf, Zafir, lass das Messer fallen«, sagte er laut.
Aber Zafir, der nur noch wütender wurde, fuchtelte mit dem Messer durch die Luft, als wolle er sie in tausend Stücke schneiden.
»Was hast du mit Ayse gemacht? Sag es mir!« brüllte Zafir.
»Lass das Messer fallen«, flüsterte Christian eindringlich. Er zitterte am ganzen Körper, den Finger am Abzug. »Ich bitte dich.«
»Du bittest mich? Ha! Du feiger Hund wirst doch nie schießen«, rief Zafir und lachte noch, als der Schuß krachte.

In der Nacht werden Steinchen an Ayses Fenster geworfen.

Sie lehnte sich hinaus, atmete die Nachtluft, die kühl war und wie gewaschen.
»Zafir?« rief sie leise hinunter, aber in diesem Moment erkannte sie, daß es Christian war, der dort unten im Regen, zusammengekauert wie ein verletztes Tier, auf der Erde lag. Ayse rannte die Treppe hinunter und schob leise die Tür auf. Christian kam zitternd aus dem Dunkeln auf sie zu. Seine Kleider waren durchnäßt und verdreckt. Das nasse Haar klebte ihm am Kopf. Er hatte Abschürfungen im Gesicht und Blut an den Händen.
Christian starrte sie an.
»Komm herein«, flüsterte sie.
»Nein«, sagte er und machte einen Schritt zurück, »ich muß gehen, ich bin gekommen, um mich zu verabschieden. Ich muß dich verlassen. Wir werden uns nie mehr wiedersehen.«

Sie sehen sich wieder. Am frühen Morgen desselben Tages treffen sie sich im Bahnhof und fliehen mit dem Zug nach Italien, wo sie in einer einsamen Hütte Unterschlupf finden. »Von nun an fangen wir ein neues Leben an«, sagt Ayse, als sie sich abends im Schein des Feuers gegenübersitzen. »Wir vergessen, woher wir gekommen sind. Wir werden nie über die Vergangenheit reden. Sie existiert nicht mehr.«

Das neue Leben dauert nur zwei Tage, dann gibt es ein gewaltiges Unwetter. Die Hütte wird samt Ayse und Christian unter einer Schlammlawine begraben.

Zoë Jenny greift bei ihrem dritten Buch *Ein schnelles Leben* so tief in die Klischeekiste und konstruiert so viele Zufälle, dass die Kritik es gnadenlos zerriss. »Trivialromanchen«, »Qualität eines Tagebuchs einer Pubertierenden«, »schlimmer als ein Tatort«, »sinnlose Satzgliedkonstruktionen«, »verkrampfte Jugendsprache«. Solche oder ähnliche Formulierungen waren in den Feuilletons der meisten großen Zeitungen zu lesen. »Schnell gelesen, schnell vergessen«, lautete das Fazit in der »Neuen Zürcher Zeitung«. Die Lorbeeren, die Zoë Jenny für *Das Blütenstaubzimmer* erhielt, waren schnell verwelkt.

Ein Jahr nach Jenny und ebenso erfolgreich debütierte Judith Hermann mit ihrem Erzählband *Sommerhaus, später.* Vom Cover blickt eine junge Frau, deren Gesicht in eine längst vergangene Zeit zu gehören und die von weit her zu kommen scheint. Zu diesem Gesicht passt die Stimme der Erzählungen, von der man kurz vor dem Jahrtausendwechsel ziemlich überrascht wurde. Judith Hermann, die 1970 in Berlin geboren wurde, dort aufwuchs und lebt, erzählt keine Wende-Geschichten, keine deutsch-deutschen Geschichten. Sie erzählt Geschichten, die zwar oft in Berlin spielen, die aber auch anderswo spielen könnten. Die Menschen, von denen sie erzählt, sind melancholisch, traurig und müde, die Frauen schweigsam und blass, die Männer emotionslos und »stumm wie ein Fisch«. Die meisten wirken trotz ihrer Jugend alt. Neudeutsch könnte man sagen, sie leben nicht wirklich – und sie wissen es. Deswegen stellen sie sich manchmal vor, wie Leben sein könnte.

Judith Hermann

Das Spiel heißt ›Sich-so-ein-Leben-vorstellen‹. Man kann es spielen, wenn man auf der Insel abends bei Brenton sitzt, man sollte zwei, drei Zigaretten rauchen und Rum-Cola trinken. Gut ist es, ein kleines, schlafendes Inselkind auf dem Schoß zu haben, dessen Haar nach Sand riecht. Auch der Himmel müßte hoch sein, am besten sternenklar, es sollte sehr heiß sein, vielleicht auch schwül. Das Spiel heißt ›Sich-so-ein-Leben-vorstellen‹, es hat keine Regeln.
»Stell dir vor«, sagt Nora. »Stell dir vor.«

Doch egal, welches andere Leben sich die Menschen vorstellen, sie haben nicht die Kraft, es zu leben. Sie warten darauf, dass sich etwas ereignet oder dass jemand kommt. »Du wartest. Du kennst sie nicht, diese Person, aber du weißt, sie wird kommen, und darauf wartest du, du sitzt und siehst die Eisblumen und wartest. Ich warte auch.« Manchmal kommt wirklich jemand, aber deswegen ändert sich nichts.

Die Tage waren still und wie unter dem Wasser. Ich saß im Zimmer meines Geliebten und der Staub webte sich um meine Fußgelenke herum, ich saß, die Knie an den Körper gezogen, den Kopf auf den Knien, ich malte mit dem Zeigefinger Zeichen auf

> den grauen Fußboden, ich war gedankenverloren in ich weiß nicht was, so gingen Jahre, schien es, ich trieb so fort. Konnte ich darüber sprechen? Von Zeit zu Zeit kam meine Urgroßmutter und klopfte mit knochiger Hand an die Wohnungstür, sie rief, ich solle herauskommen und mit ihr nach Hause gehen, ihre Stimme kam durch den Staub, der die Tür umsponnen hatte, wie aus weiter Ferne. Ich bewegte mich nicht und antwortete ihr nicht, auch mein Geliebter lag auf seinem Bett und starrte mit toten Augen an die Decke, ohne sich zu rühren.

Ähnlich wie bei Zoë Jenny reagierte die Kritik auf Judith Hermanns zweites Buch *Nichts als Gespenster*, das im Frühjahr 2003 erschien. Es gab zwar keine Verrisse, aber Lobeshymnen wie beim Erstling waren ebenso wenig zu lesen. Wieder wurde ihr Talent gelobt, Stimmungen und banale Situationen in ihrem besonderen, zur Zeit einzigartigen Ton zu beschreiben. Gleichzeitig wurde jedoch die Erfahrungsarmut der Figuren kritisiert; wo immer sie leben oder hinreisen, nirgendwo würden sie etwas Interessantes erleben. Das wirkliche Leben, die Probleme wirklicher Menschen, die materiellen Existenznöte blieben ausgeklammert. Judith Hermanns Heldinnen leben in einem Vakuum, »unerreichbar, unberührbar wie unter einer Glasglocke«, schrieb die Literaturkritikerin Iris Radisch.

Literatur oder Pop?

Neben dem »literarischen Fräuleinwunder«, das bei genauerem Hinsehen so wundersam gar nicht war, machten sich seit Mitte der 90er Jahre junge Männer auf, um eine neue und zeitgemäße Literatur zu schreiben, die bald Popliteratur genannt wurde.
Zum ersten Popliteraten wurde der 1966 in der Schweiz geborene Christian Kracht mit seinem Roman *Faserland*. Sein namenloser Ich-Erzähler reist ohne Grund und ohne Ziel von Sylt nach Zürich. Geld spielt dabei keine Rolle, und überall trifft er auf junge Leute, für die Geld ebenfalls keine Rolle spielt. Der verwöhnte junge Mann ist von schlichtem Geist, dem er gelegentlich ein paar Gedanken über Klamotten, Partys und Mädchen abzutrotzen versucht, die meistens bruchstückhaft bleiben. »Ich kann nicht erklären, was ich damit meine, und wenn ich es könnte, hätte ich wahrscheinlich keine Lust dazu.« Besser als denken und reden kann er saufen; es wird viel gesoffen in dem Buch und viel gekotzt.

Karin und ich laufen zu ihrem Wagen, und unterwegs sehe ich, wie ein völlig betrunkener junger Mann auf die Tür seines maulbeerfarbenen Porsche-Cabrios kotzt, während er versucht, den Wagen aufzuschließen.

Ich mache also das Licht am Nachttisch an, Knips macht das, und ich gucke an mir herunter und sehe, dass ich ins Bett gekotzt habe, aber das ist nicht alles, nein, ich habe auch noch ins Bett geschissen.

Sie heißt Nadja und ist ziemlich angetrunken, und da ich auch schon meine dritte Bierflasche leer habe und davor wer weiß wieviel runtergeschüttet habe, bilde ich mir immer so halb ein, daß sie mir zuzwinkert beim Reden.

Neben Saufen, Rauchen (»Während ich mir die mindestens zweitausendste Zigarette heute anzünde«) und Frauen sind für den Ich-Erzähler Markenartikel das Wichtigste im Leben. Alles und jedes wird durch sie charakterisiert.

Sergio, das ist so einer, der immer rosa Ralph-Lauren-Hemden tragen muß und dazu eine alte Rolex, und wenn er nicht barfuß wäre, mit hochgekrempelten Hosenbeinen, dann würde er Slipper tragen von Alden, das sehe ich sofort.

Am Nebentisch stehen drei Männer und reden ziemlich laut über ihren Testarossa. Sie tragen alle Cartier-Uhren, und man sieht ihnen förmlich an, daß sie Golf spielen.

Sage mir, welche Marken du bevorzugst, und ich sage dir, wer du bist. Wer sich Markenartikel nicht leisten kann oder will, ist ein Niemand.
Das alles wird in einem schnoddrigen Ton erzählt, der mit dazu beitrug, dass *Faserland* von manchen in einem Atemzug mit Salingers *Der Fänger im Roggen* genannt wurde. Der Roman sei ein Dokument des Zeitgeistes, mit ihm habe Kracht seiner Generation eine Stimme gegeben.
Diese Generation, die *Generation Golf*, wie Florian Illies sie in seinem 2000 erschienenen Buch nennt, wuchs in den 80er Jahren auf und wurde in den 90er Jahren erwachsen – oder auch nicht.

Es ging allen gut, man hatte kaum noch Angst, und wenn man den Fernseher anmachte, sah man immer Helmut Kohl. Nicole sang von ein bißchen Frieden, Boris Becker spielte ein bißchen Tennis, Kaffee hieß plötzlich Cappuccino, das war's auch schon. Die achtziger Jahre waren wie eine gigantische Endlosschleife. Raider heißt jetzt Twix, sonst änderte sich nix.

Zum vorläufigen Höhepunkt des Lebens wurde das Bestehen des Führerscheins und die anschließende Schlüsselübergabe für den ersten Golf. Mit dem hatte man noch mehr Möglichkeiten, die Welt zu erobern, das heißt zum Einkaufen zu fahren.

Der Kauf bestimmter Kleidungsgegenstände ist, wie früher die Lektüre eines bestimmten Schriftstellers, eine Form der Weltanschauung geworden. In dem, was ich kaufe, drückt sich aus, was ich denke, beziehungsweise: In dem, was ich kaufe, drückt sich aus, was die Leute denken sollen, was ich kaufe. Deswegen ist es auch üblich, die schönen Joop!-Tüten noch wochenlang zum Transportieren von ausgeliehenen Büchern aus der Unibibliothek oder beim Umzug zu benutzen, wenn möglichst viele Umzugshelfer sehen, welch Geistes Kind wir sind [...] Wir haben allen gezeigt, daß es darauf ankommt, sich auf sich selbst zu konzentrieren, auf das Auto und die Kleidung.

Alle wollten Individualisten sein und die gleichen Markenartikel wie die anderen haben. Gemeinsamkeit und Sicherheit versprach nur die richtige Form des Konsums. Weil der viel Geld kostete, das nicht alle problemlos von den Eltern bekamen, wurde »die zentrale Frage, die jeder Angehörige der Generation Golf sich ständig stellt: ›Was bringt mir das?‹ [...] Der ultimative Bestseller unserer Generation ist deshalb auch Bodo Schäfers Kompendium *Der Weg zur finanziellen Freiheit. Die erste Million in sieben Jahren* [...] Und wenn alles nichts hilft, gibt es die Droge mit dem schönen Namen Ecstasy«.

Benjamin von Stuckrad-Barre

Der jüngste Popliterat ist Benjamin von Stuckrad-Barre, der 1975 geboren wurde und als Redakteur der FAZ in Berlin lebt. Er hat mit 23 Jahren seinen ersten Roman *Soloalbum* veröffentlicht, ging mit ihm auf Lesereise und schrieb darüber die Erzählung *Livealbum*, die schon ein Jahr später erschien. Gleichzeitig legte er einen Band mit Texten aus den Jahren 1996 bis 1999 vor und vermarktete sich und seine Bücher im Fernsehen, in Zeitschriften und im Internet sehr geschickt. In einem Interview sagte er, als Schriftsteller betrachte er es als seine Aufgabe, »was um einen herum passiert, zu recherchieren und präzise festzuhalten«. Und lesen kann man bei ihm dann: »Ich war nicht beim Konzert der Rolling Stones, erzähle aber trotzdem gerne, wie es dort war.«

»Die Popliteraten, einst als Überwinder literarischer Langeweile mit skeptischer Freude begrüßt, sind längst als Oberflächensurfer, Digitalrealisten und metaphysische Nullen entlarvt«, schrieb Katharina Döbler am 12. Juni 2003 in der ZEIT. Dem ist nichts hinzuzufügen.

Quellenverzeichnis

Otfrieds Evangelienbuch, Max Niemeyer Verlag, Tübingen 1973
Die Lieder Oswalds von Wolkenstein, Max Niemeyer Verlag, Tübingen 1987
Sebastian Brant, Das Narrenschiff, Max Niemeyer Verlag, Tübingen 1986
Martin Luther, Sendbrief vom Dolmetschen, Max Niemeyer Verlag, Tübingen 1965
Hartmann von Aue, Der arme Heinrich, Fischer Taschenbuch Verlag, Frankfurt/M. 1976
Andreas Gryphius, Gesamtausgabe der deutschsprachigen Werke, Band 1, Max Niemeyer Verlag, Tübingen 1963
Hans Jakob Christoffel von Grimmelshausen, Der abenteuerliche Simplicissimus, Winkler Verlag, München 1967
Gotthold Ephraim Lessing, Werke, Band 2, Carl Hanser Verlag, München 1971
Johann Wolfgang Goethe, Werke, Band 1 und 3, Insel Verlag, Frankfurt/M. 1970
Friedrich Schiller, Sämtliche Werke, Band 1 und 2, Carl Hanser Verlag, München 1987
Friedrich Hölderlin, Werke, Briefe, Dokumente, Winkler Verlag, Düsseldorf 1990
Heinrich von Kleist, Sämtliche Werke und Briefe, Band 3, Carl Hanser Verlag, München 1982
Novalis, Gedichte. Romane, Manesse, Zürich 1968
Joseph von Eichendorff, Werke in vier Bänden, Carl Hanser Verlag, München 1981
Eduard Mörike, Sämtliche Werke in vier Bänden, Band 1, Carl Hanser Verlag, München 1981
Heinrich Heine, Werke, Band 1 und 2, Insel Verlag, Frankfurt/M. 1968
Annette von Droste-Hülshoff, Werke in einem Band, Carl Hanser Verlag, München 1984

Georg Büchner, Sämtliche Werke, Emil Vollmer Verlag, Wiesbaden o. J.
Gottfried Keller, Das Fähnlein der sieben Aufrechten, Emil Vollmer Verlag, Wiesbaden o. J.
Theodor Fontane, Gesammelte Werke, Band 3, Nymphenburger, München 1979
Gerhart Hauptmann, Die Weber, Verlag Ullstein, Berlin 1983
Arthur Schnitzler, Fräulein Else und andere Erzählungen, S. Fischer Verlag, Frankfurt/M. 1973
Rainer Maria Rilke, Gesammelte Werke, Band 1 und 5, Insel Verlag, Frankfurt/M. 1980
Alfred Döblin, Berlin Alexanderplatz, Deutscher Taschenbuch Verlag, München 1997
Erich Kästner, Gesammelte Schriften für Erwachsene, Band 1, Droemer Knaur, München 1969
Franz Kafka, Der Prozeß, Fischer Taschenbuch Verlag, Frankfurt/M. 1976 Brief an den Vater, Fischer Taschenbuch Verlag, Frankfurt/M. 1982
Hermann Hesse, Die Romane und großen Erzählungen, Band 1, Suhrkamp Verlag, Frankfurt/M. 1980
Thomas Mann, Tonio Kröger, S. Fischer Verlag, Frankfurt/M. 1903; Der Zauberberg, S. Fischer Verlag, Frankfurt/M. 1924
Heinrich Mann, Der Untertan, Deutscher Taschenbuch Verlag, München 1997
Bertolt Brecht, Gesammelte Werke, Band 4, 8 und 9, Suhrkamp Verlag, Frankfurt/M. 1967
Günter Eich, Gedichte, Suhrkamp Verlag, Frankfurt/M. 1973
Wolfgang Borchert, Das Gesamtwerk, Rowohlt Verlag, Reinbek bei Hamburg 1975
Heinrich Böll, Das Brot der frühen Jahre, Kiepenheuer & Witsch, Köln 1955
Günter Grass, Danziger Trilogie, Deutscher Taschenbuch Verlag, München 1997
Max Frisch, Stiller, Suhrkamp Verlag, Frankfurt/M. 1954
Friedrich Dürrenmatt, Der Besuch der alten Dame, Diogenes Verlag, Zürich 1998

Ingeborg Bachmann, Werke, Band 1, Piper Verlag, München 1978
Hans Magnus Enzensberger, Die Gedichte, Suhrkamp Verlag, Frankfurt/M. 1983
Peter Handke, Publikumsbeschimpfung, in: Spectaculum 10, Suhrkamp Verlag, Frankfurt/M. 1967
Wunschloses Unglück, Residenz Verlag, Salzburg 1972
Kindergeschichte, Suhrkamp Verlag, Frankfurt/M. 1981
Christa Wolf, Nachdenken über Christa T., Luchterhand Literaturverlag, München 1999
Ulrich Plenzdorf, Die neuen Leiden des jungen W., Suhrkamp Verlag, Frankfurt/M. 2000
Volker Braun, Lustgarten, Preußen (das Gedicht erscheint hier unter dem Titel *Das Eigentum*), Suhrkamp Verlag, Frankfurt/M. 2000
Martin Walser, Die Verteidigung der Kindheit, Suhrkamp Verlag, Frankfurt/M. 1991
Robert Schneider, Schlafes Bruder, Reclam-Verlag, Leipzig 1992
Bernhard Schlink, Der Vorleser, Diogenes Verlag, Zürich 1995
Thomas Brussig, Helden wie wir, Verlag Volk und Welt, Berlin 1995; Am kürzeren Ende der Sonnenallee, Verlag Volk und Welt, Berlin 1999
Ingo Schulze, Simple Storys – Roman aus der ostdeutschen Provinz, Berlin Verlag, Berlin 1998
Zoë Jenny, Das Blütenstaubzimmer, Frankfurter Verlagsanstalt, Frankfurt/M. 1997; Ein schnelles Leben, Aufbau-Verlag, Berlin 2002
Judith Hermann, Sommerhaus, später, S. Fischer Verlag, Frankfurt/M. 1998
Christian Kracht, Faserland, Kiepenheuer & Witsch, Köln 1995
Florian Illies, Generation Golf, Argon Verlag, Berlin 2000

Personenregister